SÉRÉNITÉ

Les Psys se confient. Pour vous aider à trouver l'équilibre intérieur, 2015.

Et n'oublie pas d'être heureux. Abécédaire de psychologie positive, 2014.

Secrets de psys. Ce qu'il faut savoir pour aller bien (sous la dir.), 2011.

Les États d'âme. Un apprentissage de la sérénité, 2009.

Le Guide de psychologie de la vie quotidienne (sous la dir.), 2008.

Imparfaits, libres et heureux. Pratiques de l'estime de soi, 2006.

Psychologie de la peur. Craintes, angoisses et phobies, 2004.

Vivre heureux. Psychologie du bonheur, 2003.

La Force des émotions. Amour, colère, joie..., avec François Lelord, 2001.

L'Estime de soi, avec François Lelord, 1999 et 2007 (2ᵈᵉ édition).

Comment gérer les personnalités difficiles, avec François Lelord, 1996.

La Peur des autres. Trac, timidité et phobie sociale, avec Patrick Légeron, 1995 et 2000 (2ᵈᵉ édition).

Christophe André

SÉRÉNITÉ

25 histoires d'équilibre intérieur

Ce livre, *Sérénité,*
25 histoires d'équilibre intérieur
est inspiré par l'ouvrage
Les États d'âme. Un apprentissage de la sérénité,
paru en 2009 aux éditions Odile Jacob.

Rejoignez l'auteur :
http://christopheandre.com/
http://psychoactif.blogspot.fr/
http://www.facebook.com/pages/Christophe-ANDRÉ/153891714694886

Et les éditions Odile Jacob :
http://www.odilejacob.fr/

© Odile Jacob, 2012, mai 2017
15, rue Soufflot, 75005 Paris

ISBN : 978-2-7381-3865-1

Introduction à la sérénité
par une mouche dans la cuisine

Bzzz bzzz bzzz…

Tout a commencé avec le bruit d'une mouche.
D'habitude, c'est agaçant, et là, non : c'est apaisant. C'est
juste la vie. Comme le petit nuage qui passe dans le ciel.
Comme les miettes sur la table de la cuisine déserte. En
cette après-midi d'été et de vacances, certains font la
sieste, les autres sont partis en balade. Et toi, tu es resté
là, à bouquiner et à ne rien faire. Tu viens d'entrer dans
la cuisine, et tu regardes autour de toi, tu écoutes le
silence, ce silence habité : le tic-tac de l'horloge, le ron-
ronnement du vieux frigo. Et la mouche.

Le bourdonnement dure quelques secondes,
puis disparaît : la bestiole a trouvé la sortie. Dans le
sillage de son vol, un peu plus de silence. Et une
drôle d'impression. Comment ça s'appelle, cette
douceur sans cause précise, ce sentiment que tout est

à sa place et que tu n'as plus besoin de rien ? C'est ça, la sérénité ?

Oui, c'est ça. C'est infiniment agréable. Un peu différent du bonheur : il n'y a pas ce sentiment de satisfaction ou d'accomplissement. Ce n'est pas de la joie non plus : pas d'excitation, pas d'envie de bouger, de chanter, d'aller te jeter dans les bras des autres. Non, c'est juste la perception d'une harmonie entre le monde et toi. Qui vient à la fois du dedans et du dehors, qui concerne le corps et l'esprit. Comme dans ce passage étrange de Fernando Pessoa, dans son *Livre de l'intranquillité* : « Un calme profond, aussi doux qu'une chose inutile, descend jusqu'au tréfonds de mon être. »

Envie de s'arrêter et de savourer. Certitude calme et silencieuse. Abolition des frontières entre toi et le monde : plus de limites, que des liens. Des liens de douceur. Plus envie de rien, plus peur de rien. Plus de besoin, tout est là, déjà là. C'est comme le passage d'une grâce.

Tu sens que c'est un moment spécial. Tu restes encore un peu, accroché de ton mieux à l'instant qui s'écoule. Ressentir, éprouver, ne pas penser, ne pas analyser. Ne pas bouger, bien sûr, ne rien faire. Juste respirer et regarder. Rien de différent, tout est comme d'habitude. Toi aussi, tu es comme d'habitude. Sauf que…

Il s'est passé un truc inexplicable. Une bouffée d'éternité, qui ne va vraisemblablement pas durer. Mais tu en savoures chaque seconde.

Bzzz… Tiens, revoilà la mouche. Et des voix qui s'approchent. On va passer à autre chose. Ce sera agréable mais différent. Moins éthéré, moins céleste. Tu vas revenir dans le monde habituel (que tu aimes aussi !). C'est Christian Bobin, poète douloureux et inspiré, qui écrivait : « À chaque seconde nous entrons au paradis ou bien nous en sortons. » C'est ça, c'est exactement ça : dans quelques secondes, tu vas sortir du paradis. Sans chagrin : c'était si bon d'y avoir goûté !

Et puis, tu sais que tu y reviendras…

1

Sérénité

Il y a des jours comme ça où ton âme est sereine : tu te sens doucement bien. Tout est clair et calme en toi. Tu te sens complet. Rien, absolument rien ne te manque. Tout ce dont tu as besoin est là. Et ce qui te ravit, c'est que ce « tout ce dont tu as besoin » se limite à presque rien : te sentir respirer, te sentir exister. Sensation animale, si simple, d'être vivant. Sensation plus vaste encore d'appartenir au monde. À l'égal d'un lac tranquille, d'une montagne immobile, d'une brise tiède. Tu n'as même pas besoin de te dire que la vie est belle ou bonne. Elle l'est, à cet instant, et tu le ressens profondément, sans mots. Juste un état global de ton corps et de ton esprit. Ça ne t'arrive pas tous les jours, d'accord, mais tu te dis que si tu pouvais ressentir cela souvent, ce serait drôlement intéressant…

La sérénité est une tranquillité actuelle, mais aussi un vécu de paix avec son passé et une confiance dans les instants à venir ; d'où le fort sentiment de cohérence qui en découle, d'acceptation, et de force pour affronter ce qui viendra. C'est pour cela que la sérénité est davantage que le calme, comme le bonheur est plus que le bien-être.

Elle se définit par l'absence de trouble intérieur, par la paix de l'esprit. Un ciel serein est pur et calme. Est-ce que nos esprits peuvent être « purs et calmes » ? Sans pensées douloureuses ou négatives, habités par la paix ? Ça nous arrive parfois, par exemple lorsque nous sommes dans de bonnes conditions. Un petit matin calme en été, où l'air est tiède, où le soleil nous réchauffe doucement sans nous brûler, où les seuls bruits qui montent sont ceux de la nature. On sent que notre respiration est tranquille ; et notre esprit l'est aussi, au diapason. Alors, dans toute cette lenteur et cette douceur, il y a la naissance d'un sentiment paisible, qui synchronise tout ce qui se passe, bruits, couleurs, mouvements de notre respiration, battements de notre cœur et pensées qui passent : lente montée d'un état d'âme de sérénité. Ça ne durera pas, on le sait. Et pourtant, c'est aussi bon que c'est fort…

Ces instants de sérénité donnent sens et profondeur à notre vie. Ils nous apaisent et nous régénèrent. Nous y faisons le plein de force et de calme pour les actions à venir. Et nous nous en souviendrons dans l'adversité pour nous pacifier, pour relativiser, pour espérer : tout finira, certes, mais aussi tout reviendra.

Tout de même, peut-on apprendre à l'éprouver plus souvent, cette sérénité ?

2

TON ÂME ET TES ÉTATS D'ÂME

*Depuis quelque temps – c'est ça mûrir ? c'est ça grandir ?
c'est ça vieillir ? –, il te semble souvent que ton âme existe et
respire plus fort. Tu ne sais toujours pas ce que c'est que « ton
âme », mais tu sens confusément que « ça » existe. Et tu sais
aussi que ta vie peut être à la fois sensible et sereine. Petit garçon,
tu étais déjà sensible. Des détails te touchaient et provoquaient
en toi ébranlements ou ravissements : un geste, un mot, un visage
triste, le passage d'un nuage ou le bruit du vent. Ça t'a longtemps gêné, ces glissades de l'âme. Tu aurais préféré en toi moins
de sensibilité et davantage de sérénité. Alors, tu cherchais à te
protéger du monde : il te semblait que la sérénité c'était le retrait.*

*Peu à peu, tu as appris à les accueillir, ces moments qui
nous touchent et nous éveillent. Et à accueillir aussi tous les
états d'âme, heureux ou douloureux, qui naissent à leur
contact, vivent dans leur sillage. Nos états d'âme, c'est ce qui
reste en nous après que le train de la vie est passé. Aujourd'hui,
tu as enfin compris et accepté ceci : nos états d'âme sont le cœur
battant de notre lien au monde.*

S'intéresser à ses états d'âme, ce n'est pas seulement un *truc égocentrique*. L'âme se définit comme « ce qui anime les êtres sensibles » c'est-à-dire vivants. Elle nous permet d'aller au-delà de notre intelligence, ou du moins de l'entraîner dans une autre direction. Notre esprit, notre intelligence nous aident à penser le monde ; et notre âme nous aide à l'éprouver et à l'habiter pleinement.

De fait, nos états d'âme accroissent notre intelligence de vie : ils sont la résultante de notre *réception du monde*, même dans ses microévénements. Ainsi, de petits événements de vie ne donnent pas d'émotion forte mais induisent des états d'âme. Souvenez-vous : quand vous avez assisté à des petites scènes de rue – un enfant qui pleurait, un mendiant qui cuvait son vin et sa misère, un couple qui se disputait –, tout cela, si toutefois vous y avez prêté attention, a pu déclencher en vous du cafard, sans que ces événements aient pourtant un impact sur le cours de votre journée ou de votre existence. Du dehors, ils n'ont pas eu d'effet tangible. Au-dedans, toutefois, ils flottent toujours en nous. Qui peut savoir vers où ils vont nous conduire ?

Nos états d'âme sont souvent ce qui nous rend uniques. Plus encore que nos émotions. Par exemple, au théâtre ou au cinéma, l'œuvre suscite en nous des réactions fortes, prenantes, uniformes, à peu près les mêmes chez tous les spectateurs : ce sont des émotions. Puis, après le spectacle, quand nous sortons, des pensées, des sentiments, des souvenirs complexes nous arrivent, déclenchés par ce que nous avons vu et vécu par procuration. Là, cela ne se ressemble plus d'un spectateur à l'autre. Il y a beaucoup de différences individuelles, et plus de flou, de douceur, de discrétion : ce sont les états d'âme. Plus discrets, plus compliqués, plus personnels...

Ne pas avoir d'états d'âme revient ainsi à mettre **son humanité entre parenthèses.** Méfions-nous de ceux qui déclarent « ne pas avoir d'états d'âme ». D'ailleurs, on ne peut pas *ne pas* en avoir. On peut juste les réprimer, les dissimuler, les refuser. On refuse alors son humanité et on se prive de ce qu'elle nous apporte peut-être de meilleur : l'intériorité. Cette nécessité du « ressentir » face au « comprendre », du savoir par l'expérience face au savoir par la connaissance, doit donc nous pousser à accepter, à observer et à aimer nos états d'âme : ne négligeons aucun moyen de connaissance et d'accès à ce monde si compliqué...

3

États d'âme positifs

Tu aimes bien ça : te sentir en paix avec les gens que tu aimes ; qu'il fasse beau et doux ; que l'actualité soit sans catastrophes, sans guerres, sans attentats ; te souvenir que tu as fait du bien à quelqu'un ; te souvenir aussi qu'on t'a fait du bien, et t'en réjouir, et le vivre comme une chance, non comme une dette. Dans ces moments, tu te sens plus curieux, plus bienveillant, plus patient, plus intelligent. Tu te sens fort et en sécurité ; et plus capable alors d'aimer, de penser, de donner, d'agir. C'est ça, la bonne humeur : un moteur à bonnes choses. Tu te dis dans ces moments que c'est comme ça que tu aimes être. Mieux : que c'est dans ces moments que tu te sens toi-même, et pas dans les moments de combat ou de douleur, où tu te blindes dans tes défenses, où tu te bats avec la vie. Tu aimes bien ça, être de bonne humeur…

Bonne humeur, allégresse, sérénité, confiance, sympathie, estime, etc. Outre leur dimension agréable, que nous apportent nos états d'âme positifs ?

Tout d'abord, ils nous permettent un meilleur auto-contrôle : c'est-à-dire qu'ils nous aident à nous engager dans des comportements nécessitant une contrainte immédiate pour des bénéfices différés, par exemple faire des efforts aujourd'hui (régime, exercice) pour sa santé de demain. C'est pour cela, en partie, que les tendances dépressives et anxieuses sont si souvent associées à des « comportements de santé » défaillants (davantage de consommation d'alcool, de tabac, moins d'exercice physique). Et aussi que les personnes faisant un régime alimentaire ou se sevrant de l'alcool ou du tabac sont si vulnérables aux oscillations de leurs états d'âme : de nombreuses rechutes sont liées aux coups de spleen ou de stress.

Les états d'âme positifs donnent aussi davantage de discernement envers les buts à se fixer pour réussir : si on va bien dans sa tête, on réussira davantage de choses parce qu'on aura soin (inconsciemment) de s'engager de préférence dans des démarches comportant une chance raisonnable de succès. Alors que les sujets englués dans des états d'âme plus douloureux risquent, lorsqu'ils ne seront pas victimes de renoncements prématurés, de faire des choix au-dessus de leurs forces ou de leurs capacités. Dans ce second cas, comme ils auront aussi tendance à être moins flexibles mentalement, ils persisteront trop longtemps.

Par ailleurs, **être de bonne humeur ne nous rend pas aveugles et sourds à ce qui ne va pas ou pourrait être amélioré et ne nous empêche pas d'évoluer : c'est même le contraire.** Ainsi, on a montré que l'écoute des critiques qu'on leur adressait était meilleure chez les personnes mises de bonne humeur.

Les états d'âme positifs rendent aussi plus persuasif et convaincant. Ils nous aident à mieux mémoriser ce qui nous est utile. Cela explique pourquoi il est important de créer une ambiance affective positive au travail ou dans l'enseignement, si l'on veut que nos conseils soient mieux écoutés et retenus. Même notre créativité est accrue par nos états d'âme positifs. La souffrance ne conduit à un accroissement de créativité (vous savez, les études montrant que les artistes sont souvent tourmentés…) qu'une fois surmontée et qu'une fois revenue notre aptitude à aimer la vie, même de manière imparfaite et maladroite…

Alors, essayer d'être toujours de bonne humeur ? Cet idéal, bien compréhensible, des états d'âme positifs permanents n'est ni réaliste ni souhaitable. Pas réaliste, car la vie se charge toujours de nous apporter son lot d'événements douloureux ou pénibles, de grandes et petites adversités, et les nécessaires états d'âme négatifs allant avec. Pas souhaitable, car il faut de l'ombre pour donner de la profondeur à la lumière. Les ombres embellissent le jour, et c'est ainsi que les lumières du soir ou du matin sont souvent plus belles et plus subtiles que celle du plein midi. Il en est de même de nos états d'âme.

4

ÉTATS D'ÂME NÉGATIFS

Aujourd'hui, sale temps dans ta tête. Morosité, mauvaise humeur. Tout t'agace, même toi. Car tu te sens vaguement coupable d'être comme ça : les ennuis que tu affrontes ne sont que des tracas ordinaires. Rien de vraiment pire que d'habitude. Pourtant, tout te semble moche, pénible, de trop. C'est ça : trop de petits trucs pas bien qui t'assaillent. Tu n'aimes pas te sentir comme ça, tu n'aimes pas cette soupe d'états d'âme négatifs, indigeste. Vivement que ça te passe. Dire qu'il y a des gens qui barbotent là-dedans à longueur de journée ; toute leur vie, même. Grincheux, négativistes, misanthropes, râleurs... Comment font-ils pour continuer d'habiter le monde avec ces états d'âme ? Comment font-ils pour supporter cette vision insupportable et déformée de l'existence ? Petite bouffée de compassion pour eux. Du coup ça t'allège, ça te soulage, tu te souviens physiquement — c'est bizarre — de l'existence de la bonne humeur. Tu relèves la tête et tu regardes le ciel. Tu arrives à sourire, à sourire de toi et de ta bête mauvaise humeur. Allez, ça va passer. Tout au fond de toi, tu le sais bien que ça va passer...

Il nous est plus facile de nous laisser aller aux états d'âme négatifs (inquiétudes, ressentiments, abattements et désespoirs) qu'aux positifs. Ainsi, dans toutes les langues, il existe bien plus de mots pour décrire les états d'âme négatifs que les positifs.

De même, nous devons vivre avec ce déséquilibre lié au fonctionnement de notre cerveau : il est, depuis des millénaires, sculpté par l'évolution pour nous aider à survivre en nous concentrant sur le négatif, sur ce qui ne va pas, ce qui nous menace ou pourrait nous menacer un jour. C'est pourquoi on gémit et on souffre lorsque la vie est dure, mais on ne chante pas, ou pas assez fort, lorsqu'elle est tendre !

Les événements de vie et situations défavorables induisent davantage d'états d'âme négatifs que leurs équivalents favorables n'induisent d'états d'âme positifs : nous nous agaçons du chauffe-eau en panne, mais nous ne nous réjouissons pas d'avoir tous les matins notre douche chaude. Le faire représente un exercice de lucidité et de bien-être mental : mais c'est incontestablement un effort…

Les états d'âme négatifs poussent à se focaliser sur des détails, à se noyer dans un verre d'eau ou à couper les cheveux en quatre. Ainsi, ils favorisent des comportements de vérification excessive, notamment chez les personnes déjà prédisposées à cela, minutieuses ou obsessionnelles. Ils induisent aussi une tendance au ralentissement : l'un de mes patients me disait qu'il se sentait souvent « ralentriste » dans ses mauvais moments. Les états d'âme négatifs poussent, contrairement à ce que l'on croit souvent, à moins prendre soin de soi et de sa santé. On rumine davantage sur sa peur de la maladie, mais on s'occupe finalement moins de sa santé que les gens plus gais.

L'induction d'états d'âme de tristesse incite aussi, si on est alors confronté à des stimuli tentants, à s'abandonner à eux : acheter des choses inutiles, absorber des aliments ou des substances qui nous promettent un mieux-être immédiat, comme les sucres, l'alcool, le café, le tabac... Autre danger des états d'âme négatifs : alors que la dimension d'autoréparation est fondamentale dans nos équilibres intérieurs, ils nous poussent, eux, plutôt à l'autopunition ou à l'autoaggravation lorsque nous allons mal. Ils tendent à nous enfermer dans un cercle vicieux, dont à l'inverse les états d'âme positifs peuvent nous aider à sortir. Il ne faut donc surtout pas négliger les petits plaisirs (balade ou rencontre avec des amis) lorsque nous avons le spleen. Et même s'ils ne nous remettent pas instantanément de bonne humeur, ils entravent au moins la généralisation et la chronicisation de nos états d'âme sombres et douloureux.

5

POSITIVER ?
L'ÉQUILIBRE INTÉRIEUR…

L'autre jour – tu te plaignais de ta vie et de tes ennuis – une amie t'a dit de « positiver ». Tu n'as pas du tout aimé ça. Tu as hésité entre soupirer ou lui balancer une vacherie pour la remettre à sa place. Comme tu l'aimes bien et que tu voyais qu'elle te voulait du bien, tu as préféré détourner le regard et parler d'autre chose, pour ne pas ajouter un conflit à tes ennuis. Mais vraiment, tu es allergique à ce mot : « positiver ». Comme tu es allergique à « challenge », « performance », « défi »… Tous ces termes qui évoquent la gonflette, la posture. Ça t'agace, tu les trouves stupides et stressants. Bien sûr que c'est mieux de positiver, mais en général lorsqu'on le dit à quelqu'un, c'est dans les moments où il est incapable de l'entendre ou du moins de l'accepter. On le lui dit quand il est en train de « négativer » de toutes ses forces. Comment cela pourrait marcher ? Mais alors, d'où viendront l'accalmie et la pacification ? De toi, du dedans ? Du monde, du dehors ? Et comment t'y prendre ?

Un seul mot d'ordre : Il-ne-faut-pas-po-si-ti-ver ! En tout cas, pas tout le temps, et pas n'importe comment. Je suis obsédé par la psychologie du bonheur. En tant que psychiatre : c'est un intéressant outil de prévention des rechutes de mes patients. Et en tant qu'humain : je me sens tellement mieux heureux que malheureux que mon choix est vite fait. Globalement, je n'aime guère les slogans du type : « il faut positiver ! ». Je ne dis jamais à mes patients qu'il faut positiver, jamais comme ça en tout cas. Même si au fond, je pense qu'il faut plus ou moins le faire et qu'en tout cas, je pense que ceux qui le font ont raison. Cependant, les injonctions à *positiver* soulèvent deux questions : 1) si positiver c'est nier l'existence des problèmes et de la souffrance, si c'est leur refuser d'exister en nous, le remède est pire que le mal, nous en avons largement parlé ; 2) c'est parfois obscène de le dire comme ça : autant « chercher à se rapprocher du bonheur » me semble un effort digne et grave, compatible avec le deuil et la souffrance, autant « positiver » me paraît une quête sans dignité ni réalisme. Ne pas chercher à positiver donc, bêtement et mécaniquement. Mais pas question non plus de se laisser sombrer dans la détresse et d'ajouter à nos peines par notre démission.

Finalement, équilibrer nos états d'âme, ce n'est pas désirer une climatisation mentale ou une bonne humeur permanente et donc forcément artificielle, mais simplement aspirer à clarifier (ce qui est confus), pacifier (ce qui est trop agité), réorienter (ce qui est parti dans une mauvaise direction). Il va s'agir, en gros, de limiter nos états d'âme négatifs (mais pas que les limiter : ne plus avoir peur aussi de leur faire une juste place), de développer, savourer et réévoquer nos états d'âme positifs (mais sans les vouloir éternels : comprendre qu'ils ne peuvent être constants). **Le sentiment des chercheurs et des thérapeutes en matière d'équilibre émotionnel est que le bon rapport se situe à environ deux tiers d'états d'âme positifs pour un tiers de négatifs. Ce rapport combine l'énergie des états d'âme positifs et la vigilance des négatifs.** Nous avons tous, à certains moments, constaté l'utilité des états d'âme négatifs : l'inquiétude qui nous ouvre les yeux, la colère qui nous pousse à agir, la tristesse qui nous force à réfléchir, le désespoir qui nous rappelle le sens de la vie. Et aussi celle des états d'âme mixtes : la culpabilité nous fait réévaluer nos comportements, la nostalgie nous pousse à apprécier le passé et à moins gaspiller les bons moments à venir. Si ces états d'âme négatifs ou mixtes ne dominent pas notre paysage émotionnel, mais sont compris et intégrés dans une majorité d'états d'âme positifs, alors notre vie intérieure sera plus féconde que dans le cas d'une domination sans partage de l'un ou l'autre des pôles négatif ou positif.

6

Ne pas ruminer

En ce moment, tu es souvent dans la lune. Absent. Ailleurs. Ton corps est bien là et, pour peu que tu souries et hoches la tête de temps en temps, les autres pensent que ton esprit est là lui aussi. Mais non, il est ailleurs, dans tes pensées, tes rêveries. Et surtout, hélas, dans tes ruminations : tu ressasses tes tracas, tes tourments, tous les petits « rien du tout » qui te prennent la tête. Alors ta voiture va toute seule là où elle a l'habitude d'aller, et tu ne te souviens même pas de l'avoir conduite. Alors tu poses tes clés et tes affaires quelque part en rentrant chez toi, mais tu ne sais pas ensuite où tu les as posées : normal, tu n'étais pas là. Tu lis une histoire à ton fils, mais ton esprit s'évade et part, aimanté par « toutes les choses que tu as à faire… » Zombifié. C'est quand que tu recommences à vivre ?

Ruminer, c'est se focaliser, de manière répétée, circulaire, stérile, sur les causes, les significations et les conséquences de nos problèmes, de notre situation, de notre état. On utilise aussi en anglais le terme de *brooding* : couver. Effectivement, dans la rumination, on reste inactif, assis sur ses problèmes que l'on garde bien au chaud, sous soi, en les faisant croître...

Nos ruminations passent souvent inaperçues en tant que telles à nos propres yeux, car nous *croyons* alors réfléchir. Mais la rumination n'est pas une vraie réflexion, elle est stérile. On a pu montrer que, dans la rumination, la personne se focalise sur le problème et ses conséquences, et pas sur les solutions possibles à mettre en œuvre. Erreur de ciblage, erreur d'aiguillage : on perd un temps infini à ruminer sur les causes et conséquences éventuelles des difficultés au lieu de chercher des remèdes. **Les ruminations engendrent de la souffrance, mais pas de solutions.**

Par essence, la rumination étale dans le temps les soucis et événements malheureux, comme s'ils n'étaient pas déjà assez ennuyeux tels quels. Elle les dilate, les répand dans toute notre vie, le passé (« c'est parce que je n'ai pas fait ce qu'il fallait que tout cela arrive... ») et le futur (« cela va entraîner ceci et cela... »), ce qui pollue totalement l'évaluation que l'on devrait faire du problème au présent. Quand on rumine, c'est comme si on écoutait un vieux disque rayé, qui ressasserait indéfiniment le même passage, mais que l'on n'arrive plus à retirer de l'appareil, pas plus qu'on n'arrive à couper le son de ce dernier, ni à quitter la pièce.

Joue aussi dans ces sombres raisonnements en boucle la croyance que, pour résoudre un problème, il faut y réfléchir longuement ; et que plus on y réfléchit, plus on a de chances de trouver la bonne solution. Ce qui n'est pas toujours vrai. Autre problème : entre en ligne de compte dans la rumination une dimension, une obsession presque, de jugement, une tendance à porter un jugement sur les choses (bien ou mal) et à chercher des coupables ou des responsables (soi ou les autres), à percevoir les problèmes comme des fautes ou des manquements (qui a mal fait ?). Quête souvent inutile et dangereuse…

La rumination est souvent associée à la morosité et à un sentiment d'impuissance. Comme elle est pénible, on tente parfois de s'en écarter en essayant de penser à autre chose ou de s'occuper, mais les états d'âme négatifs restent là, en toile de fond. Du coup, on ne fait rien correctement : ni l'activité en cours ni la réflexion sur le problème. La lucidité et l'efficacité, ce serait plutôt de choisir vers quoi on veut réfléchir et de le faire pleinement. Or ce n'est pas si simple et, parfois, mieux vaut carrément aller marcher, nager, pédaler, jardiner ou bricoler. Cela aggravera moins les choses que de continuer à ruminer, cela nous permettra quelques petits états d'âme positifs et nous rapprochera peut-être d'une solution. Bouger, courir, écrire, parler : agir peut nous aider à stopper la rumination et à revenir ensuite vers une vraie réflexion. Eh oui, sous notre cerveau, il y a un corps, qui a lui aussi son mot à dire.

7

CHER JOURNAL

Adolescent, tu tenais un journal. Enfin, tu commençais régulièrement à tenir des journaux. En général, ça te prenait après la lecture de bouquins plus ou moins autobiographiques ; tu te souviens en vrac d'impulsions à t'écrire à la suite des Mémoires d'outre-tombe *de Chateaubriand (au programme en français), ou de* L'Enfant, *de Vallès, ou du* Château de ma mère, *de Pagnol.*

Tu prenais alors un cahier d'écolier, et tu te lançais. Après chaque épisode d'écriture, tu le cachais au fond d'un tiroir sous le désordre de tes livres et cahiers de classe, dissimulé sous les copies et les vieux brouillons. Jamais tu n'as terminé un de ces journaux, mais jamais tu n'as renoncé à en tenir. Tu sentais bien qu'ils étaient un espace important pour toi, de rêve et de clarification de tes états d'âme, comme un écho à ta vie, qui donnait de la place au ressentir, au réfléchir. Tu aimes bien les relire : parfois tu t'y retrouves exactement tel que tu es resté aujourd'hui ; parfois, tu mesures grâce à eux à quel point tu as changé, grandi. Et toujours, tu souris de sentir à nouveau vibrer en toi ces mouvements sincères de ton âme, souffrances ou espérances.

On peut se servir de temps en temps de son cerveau pour autre chose que le travail ou les loisirs. Si nous n'y prenons garde, nous ne ferons fonctionner notre esprit que pour *faire* des choses et nous oublierons de nous sentir *être*, de nous observer en train de vivre. Du coup, nous passerons à côté de la moitié de notre vie. Pas si grave, diront certains, il restera tout de même l'autre moitié : nos actions, nos réactions aux demandes de notre environnement. Or en évacuant nos états d'âme, en ne leur prêtant pas attention, nous resterons de simples « machines à vivre », selon l'expression de Paul Valéry. Et un sentiment de vide, inquiétant ou attristant, nous envahira parfois, dès que nous cesserons d'agir ou de réagir.

Nous avons besoin de l'introspection, nous avons besoin de regarder au-dedans de nous. Certes, à trop se pencher sur soi, on peut basculer et se noyer en soi-même. Certes, l'introspection seule ne suffit pas : il faut vivre aussi, et l'action et la rencontre nous apprennent et nous révèlent beaucoup sur nous. Peut-être même nous en disent-elles plus que l'introspection sur *ce que* nous sommes. Mais sans doute moins sur *comment* nous le sommes et sur *ce que cela nous fait* de l'être…

Il existe de nombreuses manières de se livrer à l'introspection : simplement arrêter de faire des choses et se poser pour réfléchir et ressentir ; pratiquer une technique de méditation ; ou tenir un journal.

De nombreux travaux ont montré que l'écriture de soi était bénéfique à notre santé, qu'elle aidait à la pacification émotionnelle, notamment dans nos moments de vie difficiles. La mise en mots et en récit de nos expériences de vie permet d'augmenter la cohérence d'événements et d'états d'âme qui, sans cela, auraient un goût de flou et d'inachevé. Les études qui comparent le fait de parler, d'écrire ou de simplement réfléchir à des expériences de vie douloureuses montrent clairement que l'écriture et la discussion font toutes deux bien mieux que la réflexion solitaire. Pourquoi la « simple » réflexion est-elle souvent si peu utile ? Parce qu'elle dérape très vite vers la rumination ! Alors qu'il est bien plus difficile de ruminer par écrit : l'absurdité et la toxicité du mécanisme nous sauteraient aux yeux, tandis que nous le tolérons dans notre esprit…

En effet, l'un des mécanismes soignants de l'écriture passe par la réorganisation de l'expérience douloureuse, qui sans cela repose sur des états d'âme souvent chaotiques et embrouillés. Nous contraindre à transcrire ces états d'âme en récit cohérent a un effet bénéfique.

Si nous sommes convaincu que nos états d'âme ont du sens, un petit peu de sens, le journal intime est le poste d'observation parfait. L'écrivain américain Thoreau disait de son journal qu'il était « le calendrier des marées de l'âme ». Et Jules Renard, quant à lui, rappelait que la vocation d'un journal est aussi d'être un lieu de travail sur soi : « Il faut que notre Journal ne soit pas seulement un bavardage comme l'est trop souvent celui des Goncourt. Il faut qu'il nous serve à former notre caractère, à le rectifier sans cesse, à le remettre droit. »

Alors, on s'y remet à nos petits carnets ?

8

Fragilité

Cette impression désagréable et parfois angoissante, que ta vie n'est qu'une succession d'efforts. Tenir bon, réparer, colmater, construire, reconstruire ; efforts pour travailler, pour t'activer, pour t'occuper des autres (beaucoup), de toi (un peu), bref pour tout « gérer » (en plus, tu détestes ce mot « gérer », qui transforme ta vie en commerce ou en industrie).

Tu te sens souvent à deux doigts de baisser les bras, de tout arrêter. Par fatigue (il te faudrait du repos alors), mais aussi par usure mentale : c'est ça, la vie ? Toujours toujours se démener, s'agiter, s'efforcer ? T'arrêter ? Ce serait la pagaille, tout s'accumulerait, tout le monde rouspéterait après toi, d'habitude si actif. Pour être tout à fait honnête, tu n'en sais rien, tu ne sais pas si ce serait vraiment la pagaille ; car tu n'as jamais essayé, tu ne t'es jamais permis de tout arrêter. Tu l'imagines. Pfff… Dans ces moments, tu en as envie, pourtant, de tout laisser tomber. Fermer les yeux et ne plus être là. Se trouver dans un refuge, un lieu paisible où rien ne te sera demandé et tout te sera donné. Tu es peut-être trop fragile ? Il y a quelques *années, tu étais déprimé, ton médecin t'avait prescrit du Prozac. Ça t'avait fait du bien, tu te sentais moins sensible, moins fragile alors. Mais tu n'aimais pas l'idée que ce soit dû à une molécule, qui patrouillait dans ton corps, pour empêcher et disperser tout attroupement émotionnel : « Circulez, il n'y a rien à ressentir ! » Tu es content que ces médicaments pacificateurs existent, en cas de besoin. Mais tu voudrais pouvoir faire autrement.*

Est-ce que ça te quittera un jour ce sentiment de fragilité ?

Être humain, c'est être fragile. C'est être vulnérable, blessable, même par de petites choses, des banalités douloureuses. Surtout par elles : dans la grande adversité, on se mobilise, notre entourage vient à notre aide ; mais dans la petite… Comme le notait Montaigne : « La tourbe des menus maux est parfois plus oppressante que les grandes souffrances. »

Il y a heureusement des avantages à cette fragilité.

Tout d'abord, avoir conscience de notre fragilité nous protège des illusions de toute-puissance (« rien ne peut m'arriver ») et d'un certain nombre de croyances dangereuses (« tout sera facile »). Pour les fragiles et les sensibles, au contraire, tout peut arriver, et tout sera difficile ; ils le savent très tôt, dès la cour de récréation de l'école maternelle.

Ensuite, la fragilité nous rend lucides, il suffit pour cela d'ouvrir les yeux : voir un enfant dormir, voir un ami vieillir, sentir le temps passer. Et tout à coup on se dit, ou plutôt on se crie : « Ne plus me comporter comme si ma vie était illimitée ! Ne plus faire comme si j'allais disposer d'autres existences ! Ne plus vivre comme si j'étais invulnérable et éternel. » **Nous voilà poussés vers la sagesse par la lucidité et la fragilité.**

Il y a enfin un autre avantage à la fragilité : elle nous ouvre au monde. D'abord on l'a surveillé, ce monde, pour assurer notre survie ; on se disait : d'où viendra le prochain coup, le prochain danger ? Et puis, aujourd'hui, on a appris à regarder sans surveiller, on a gardé le goût du regard sur le monde même quand le danger n'est plus là, même quand on a appris à lui faire face. Il y a alors souvent comme un heureux « effet rebond » : la sortie, même transitoire, de la fragilité et de l'angoisse est comme une aube après une nuit de maladie. On la savoure bien plus fort et bien mieux que ceux qui ont dormi sans souffrir.

Finalement, le bonheur de vivre des fragiles est souvent plus profond que celui des… Des *quoi*, au fait ? C'est quoi, le contraire de fragile ? Solide ? Dur ? Fort ? Bof… Le plus intéressant, n'est-ce pas davantage que le *contraire*, la *suite* de fragile ? Le plus intéressant, c'est ce que deviennent les personnes fragiles qui ont progressé : ce progrès ne consistant pas à avoir supprimé leur fragilité (à être devenues « fortes ») mais à l'héberger, sans trop, ou trop souvent, en souffrir.

9

Douleurs et souffrances

Tu n'aimes pas beaucoup les grands discours sur la douleur et la souffrance. Les maximes comme celle de Nietzsche : « Ce qui ne nous tue pas nous rend plus fort » te laissent un peu perplexe et agacé. Tu sais que Nietzsche a suffisamment souffert pour être légitime quand il parle de tout ça, mais quand même...

Tout d'abord, son truc, ce n'est pas toujours vrai. Parfois, ce qui ne nous tue pas nous laisse éclopés, cabossés, traumatisés. Pas du tout plus forts, mais boiteux, fragilisés, dans l'inquiétude du prochain coup du sort.

Ensuite, tu t'en fiches bien d'être plus fort. Ça ne t'intéresse pas, tu n'en veux pas de cette force-là, cette force héroïque, légitime, admirable de ceux qui sont revenus de l'enfer. Non, toi tu sais que tu fais partie de ceux qui n'en reviennent pas, de ceux qui meurent vite, si par malheur ils se retrouvent dans les camps, les goulags, les prisons ; trop fragiles, trop épouvantés.

Tu sais que tu es fragile. Alors, tu voudrais juste, quand la douleur te tombe dessus, qu'elle ne dure pas trop, qu'elle ne *t'abîme pas trop. Tu voudrais juste pouvoir la traverser sans trop de souffrances ni trop de séquelles. Et en ressortir non pas plus fort, mais à peu près intact, et prêt à revivre des moments heureux. C'est possible, ça ?*

Faut-il faire une différence entre douleur et souffrance ? On désigne par douleur le point de départ : une sensation ou une impression pénible. Le mot « souffrance » est, quant à lui, plutôt utilisé pour évoquer l'impact subjectif de la douleur. Ainsi, souffrir c'est endurer, supporter une douleur.

Il y a des douleurs du corps (que tout le monde a connues, au moins à un degré minime, celui du mal de dents ou du mal de dos) et des douleurs de l'âme (pensez au deuil et aux chagrins d'amour).

Vous me voyez venir : tandis que la douleur provient de lésions anatomiques et n'est guère discutable, les souffrances ont toutes une part (une part seulement) psychologique. Les états d'âme y ont leur mot à dire. Notamment dans le cercle vicieux de la souffrance et de la douleur : la douleur pousse spontanément à se couper du monde et à se focaliser sur soi, ce qui laisse encore plus de place dans notre esprit pour la souffrance, ce qui transforme toute notre existence en souffrance. Et la souffrance devient peu à peu une rumination de la douleur, un inlassable retour vers elle.

Tout ce qui permet d'éviter la douleur doit être fait, chaque fois que c'est possible : enlever le caillou de la chaussure, prendre un antalgique pour la rage de dents, de la morphine pour les métastases. La douleur n'a pas à être supportée si elle peut être résolue : atténuée, ou mieux, supprimée. La douleur ne grandit pas, elle abaisse. Elle n'enrichit pas, elle rétrécit et appauvrit. Elle est une aliénation au monde qui nous entoure, elle nous emprisonne en nous-mêmes. Lutter contre la douleur consomme toute notre énergie. Nous aurions mieux à faire. La douleur démolit, fragilise au lieu de renforcer.

La souffrance, c'est autre chose. Et il y a deux choses essentielles dans nos souffrances : 1) leurs causes, qui ne sont pas toujours accessibles ou modifiables, 2) le rapport que nous entretenons avec elles, qui est en partie sous notre contrôle.

Il est important pour chaque humain de bien comprendre comment nous nous organisons pour faire face aux souffrances de notre existence. Lorsque je reçois un nouveau patient j'examine longuement avec lui ce qui a marché ou non dans ses précédentes tentatives pour alléger ses souffrances. Les médicaments ? Les efforts personnels ? Je vérifie quelles attitudes il adopte face à la douleur : se distraire ? se lancer dans l'action ? serrer les dents ? Je lui demande aussi parfois : quelle part de souffrance seriez-vous prêt(e) à accepter dans votre vie ? Pour montrer, suggérer, que c'est peut-être vers ça qu'on va aller, plus que vers la suppression totale et triomphante de la douleur. Mais attention : j'explique clairement qu'on va agir face à la souffrance. La souffrance qui grandit, je n'y crois guère ou, du moins, je n'ai aucune leçon à délivrer là-dessus. J'ai plus souvent rencontré la souffrance qui rabougrit, qui durcit et appauvrit. Mon discours n'est donc pas : « endurez ! » mais plutôt : « La douleur est inévitable dans notre existence. Donc une part de souffrance l'est aussi. Acceptons ça. Puis voyons comment agir sur les causes de douleurs. Et limiter la part de la souffrance. » J'appelle ça travailler sur la part évitable de nos souffrances. Cette part est parfois limitée (si j'ai une rage de dents), mais elle est souvent importante (notamment dans les souffrances morales). **Il existe dans nos épreuves une part qui nous instruit et une part qui nous détruit.** N'oublions pas la première en refusant absolument de souffrir, mais n'oublions pas non plus la seconde.

10

ACCEPTATION

Lorsque tu avais 16 ou 17 ans, ta petite amie de l'époque t'avait offert un exemplaire des Lettres à un jeune poète, *de Rainer Maria Rilke. Tu l'as toujours gardé avec toi, tu aimes bien sa petite couverture jaune et son beau papier d'autrefois. Tu en relis souvent des passages. L'autre jour, tu étais triste et tu as relu ceux qui parlent de la tristesse : « Si notre regard portait au-delà des limites de la connaissance, et même plus loin que le halo de nos pressentiments, peut-être recueillerions-nous avec plus de confiance encore nos tristesses que nos joies. […] De grâce, demandez-vous si ces grandes tristesses n'ont pas traversé le profond de vous-même, si elles n'ont pas changé beaucoup de choses en vous, si quelque point de votre être ne s'y est pas profondément transformé. […] Ne vous effrayez pas quand une tristesse se lève en vous. »*

Ne pas s'effrayer, accepter… Avec les années (et les efforts) tu as appris à accepter. Appris à connaître la saveur de l'acceptation, la vraie. Pas le goût amer de la résignation, cette acceptation par contrainte ou par épuisement. Ni celui, écœurant, du mensonge et de la fausse acceptation. Non. Le goût suave et apaisant du « oui » sincère à l'adversité et aux contrariétés. Le « oui » à ce qui heurte et fait souffrir. Ce « oui » qui ne veut pas dire « c'est bien », mais « c'est là ; c'est déjà là ; que j'en pleure ou que j'en trépigne ou que je m'en foute, c'est déjà là. Que faire maintenant avec ça ? »

Et maintenant tu sais, toi, que quand tu arrives à dire ce genre de « oui » dans ta tête, tout redevient possible…

Une première métaphore pour comprendre la nécessité de l'acceptation : on ne peut pas repartir d'un endroit où on n'a jamais accepté d'arriver. Si je souhaite ne plus éprouver sans cesse de la tristesse ou de la colère, plutôt que de vouloir ne pas les ressentir lorsqu'elles se présentent, je vais avoir intérêt à accepter de pleinement les ressentir, « d'y aller » au lieu de les fuir, les éprouver, les examiner avec attention, justement lorsqu'elles se présenteront. Il me faut pour cela aller à l'encontre d'une tendance naturelle, celle qui consiste à accueillir l'agréable et à repousser le désagréable. C'est tentant et logique, mais cela ne peut fonctionner que pour des situations ponctuelles et limitées ; pas pour des expériences de vie complexes. Bien sûr, accueillir nos états d'âme douloureux suppose de se sentir capable de supporter toute la charge de souffrance qui les accompagne. Or les enjeux sont majeurs : il y a d'une part dans l'acceptation la possibilité de voir peu à peu se stabiliser puis se dissiper nos souffrances, si elles ne sont pas réalimentées par nos propres réactions et agitations. D'autre part, la possibilité de s'instruire de nos expériences, au lieu de les traverser sans avoir voulu les ressentir et d'en ressortir inchangé.

Il faut donc parfois cesser de vouloir rectifier nos expériences émotionnelles, corriger nos états d'âme. Et plutôt que de seulement vouloir changer nos états d'âme, vouloir changer notre rapport à eux. Car, si nous les acceptons, nos états d'âme négatifs 1) deviennent paradoxalement moins douloureux, 2) deviennent informatifs sur les situations et nos réactions, 3) peuvent enrichir notre expérience, car ils correspondent à la vraie vie, et non à la vie rêvée, 4) nous montrent que l'on peut survivre aux problèmes. Les attitudes d'acceptation nous incitent aussi à simplement faire ce qu'il y a de mieux à faire, sans gémir ni râler. On ressent et on décide de faire ou ne pas faire, mais sans s'affliger de surcroît. Car **l'acceptation est une alternative à l'affliction, pas à l'action**.

En effet, on reproche parfois à cette notion d'acceptation d'encourager à une sorte de passivité, de *quiétisme* new-look. On appelait quiétisme (du latin *quies* : quiétude, tranquillité) un mouvement mystique chrétien du XVIIᵉ siècle, qui encourageait la recherche d'une complète passivité, qui permettrait à l'âme de plonger en Dieu et de laisser ainsi agir Dieu en elle. Tout accepter et tout laisser venir pour élever son âme ? Ce n'est bien sûr pas le message : nous sommes ici dans le monde de la psychothérapie, dont le but est le bien-être, pas l'approche de Dieu. D'ailleurs, même si elles sont clairement nourries d'éléments bouddhistes et de philosophie indienne, ce n'est certainement pas un hasard si ces thérapies centrées sur l'acceptation ont pris naissance au sein du courant des thérapies comportementales et cognitives, qui encouragent leurs patients à s'engager dans l'action. Simplement, l'idée est de favoriser un engagement dans l'action aussi lucide et clairvoyant que possible. Pour éviter de tels malentendus, nous devrions peut-être choisir pour notre travail psychothérapeutique le terme *accueillir* ses souffrances, plutôt que les *accepter* : le mot *acceptation* est trop connecté dans nos inconscients à la notion de soumission, et semble supposer que l'on devrait accepter tout ; tandis que le mot *accueil* rappelle que nous restons actifs et discriminants en accueillant. Ce qui est bien le but.

Une autre métaphore : celle du nageur. S'il est pris par un courant qui l'entraîne au large, que faire ? Ne pas s'affoler, ne pas tenter de rejoindre en force le rivage : on risque de s'épuiser et de se noyer. Il faut simplement continuer de nager, non pas pour aller quelque part, mais pour rester à la surface, en acceptant que le courant soit plus fort que nous. L'acceptation, ce n'est pas se laisser couler, mais nager dans le courant. Le courant s'arrête toujours au bout d'un moment : on se retrouvera alors sur le rivage à quelques kilomètres de là. Ce changement est préférable à une noyade, n'est-ce pas ? L'acceptation active est souvent la seule solution à certains moments de notre existence. Il faut bien sûr disposer aussi d'autres attitudes de vie, plus énergiques, plus combatives. Il faut parfois refuser, et non accepter. Mais l'acceptation doit faire partie de notre « kit de survie » psychologique.

11

AUTOCOMPASSION

Il y a quelques années, tu t'es cassé la main, bêtement. Évidemment, c'est toujours bête de se casser quelque chose, mais là, ça l'était encore plus : c'était un dimanche soir, chez toi, tu grimpais l'escalier en chaussettes, en courant, en portant quelque chose et en pensant à autre chose (en vérité, tu pensais déjà à ton boulot du lendemain). Tu as glissé, tu as senti que ça craquait et que ça te faisait très très mal. Et là, tout de suite, tu as compris que c'était cassé.

Tu te souviens très bien que ton premier réflexe, alors, ça n'a pas été de prendre soin de toi, mais de te traiter d'idiot. Puis de t'angoisser, de voir déferler dans ton esprit la vague des ennuis à venir : toutes les choses que tu n'allais plus pouvoir faire à cause de cette maudite fracture (la main droite, en plus). « Avec tout le boulot que j'ai en ce moment, tous les trucs que j'ai à faire, comment vais-je m'en sortir ? C'est la catastrophe, ça ne pouvait pas être pire qu'à ce moment… » Tu t'angoissais, tu t'en voulais, tu te sentais misérable et stupide. Et triste. Et en colère.

Tu as trimballé ce mauvais mélange d'états d'âme souffreteux et hostiles à toi-même pendant quelques jours. Avant de réaliser que ça irait, que tu survivrais (évidemment !) à tous les inconvénients liés à ta fracture. Tu as fait face. Et puis, c'est passé très vite. Tu te souviens du jour où on t'a retiré le plâtre, tu te souviens du bonheur à pouvoir te servir à nouveau de tes deux mains.

Tu te sens un peu bête aujourd'hui en repensant à la manière dont tu as accueilli (ou plutôt pas accueilli) ta fracture. Toute cette colère inutile, tout ce stupide ressentiment contre toi. Inutiles. Inutiles. Inutiles. Tu te répètes ces mots, comme pour t'en convaincre. Tu te demandes encore comment tu as pu t'infliger pour rien une double dose de souffrance : la fracture et le souci de la fracture. Tu te demandes pourquoi, à chaque fois que tu as des ennuis, ton premier mouvement c'est de t'en prendre à toi-même. De t'engueuler, de t'affoler. Avant d'ouvrir les yeux, et d'agir. Et de voir que ça ira, que tu y arriveras. Il faudrait tout de même que tu comprennes un jour, il faudrait tout de même que tu t'aimes un peu ; surtout quand tu as des problèmes, et pas seulement quand tout roule et que le succès coule…

L'autocompassion consiste à être attentif à ses souffrances (au lieu de les ignorer), à vouloir les alléger (au lieu de vouloir se punir ou s'enfoncer), à se montrer

gentil et compréhensif avec soi-même (au lieu de se traiter avec distance, dureté, mépris ou violence). Certains
patients sont inquiets lorsque nous leur parlons d'avoir
de la compassion pour soi : ne peut-il pas exister des
risques de démission, d'autocomplaisance ou d'autoapitoiement ? Non, il s'agit de tout autre chose.

Car lorsqu'on étudie les mécanismes de l'autocompassion, on découvre ceci : 1) elle repose sur une attitude
d'acceptation envers ses échecs ou difficultés ; on ne les
considère pas comme des scandales ou des catastrophes
ou des preuves de nos incompétences ou que sais-je
encore ; mais comme des événements de vie hélas normaux, auxquels il faut simplement faire face de son
mieux. En ce sens, l'autocompassion se différencie de
l'autoapitoiement où l'on bascule dans une vision d'un
soi misérable accablé par des épreuves injustes ; 2) de ce
fait, elle est aussi sous-tendue (et facilitée) par un très fort
sentiment de lien aux autres : elle aide à faire de sa souffrance une expérience commune à tous les humains.
« Ce qui m'arrive est arrivé et arrivera à bien d'autres
que moi. » Penser cela, non pour faire taire ma détresse,
mais pour la collectiviser, la partager, l'orienter vers la
douceur, la consolation, puis la recherche de solution.

L'autocompassion pousse de ce fait à rechercher de
l'aide ou du réconfort plutôt qu'à se plaindre ou se

punir. C'est pourquoi elle est un élément fondamental dans notre équilibre intérieur : de nombreuses études montrent que **la bienveillance vis-à-vis de soi est globalement très favorable au bien-être psychologique, et notamment à nos capacités de résilience.** Sur le long terme, c'est-à-dire dans la vie, et non plus seulement dans les laboratoires de psychologie, cet élément est décisif : l'autocompassion permet tout simplement des autoréparations régulières face à l'adversité, car on est son allié et son ami, au lieu d'être son ennemi et son persécuteur.

On s'est aperçu que les capacités d'autocompassion faisaient défaut dans de nombreux états dépressifs, dans la boulimie, et dans beaucoup de formes de souffrances psychiques. Et que les rencontres, dans ces moments, avec des thérapeutes empathiques et acceptants, ou avec d'autres patients (comme dans les thérapies de groupe) étaient très bénéfiques, notamment en restaurant ou en permettant ces capacités d'autocompassion. Les patients peuvent alors se dire : je ne suis pas coupable de ce dont je souffre ; je ne suis pas le seul à en souffrir ; je n'ai pas à gémir ni à me punir pour cela. Ils peuvent se dire : autocompasoigne-toi…

12

LÂCHER PRISE

L'autre jour, tu es tombé malade, salement malade. Une sorte de grippe foudroyante qui t'a obligé à rester alité pendant quarante-huit heures, ce qui ne t'arrive pas souvent. Pendant ces longues heures au lit, durant ces heures calmes où tout le monde est soit au travail soit à l'école, tu as songé à de vieux souvenirs.

Lorsque tu étais enfant, tu aimais ces moments où tu étais malade, avec de la fièvre et une certaine torpeur qui t'habitait. Tu les aimais bien sûr parce que ça te permettait de ne pas aller à l'école, et de te faire un peu chouchouter. Et tu les aimais aussi pour l'état psychologique inhabituel dans lequel ces affections te plongeaient. Tu te souviens qu'alors tu portais sur le monde un regard très particulier, à la fois présent et détaché, comme anesthésié, sans capacité de réagir à ce qui se passait, et sans désir d'intervenir : une sorte d'apathie sereine. Installé sur le canapé du salon familial tu observais les allées et venues des uns et des autres, tu écoutais les échanges, tu assistais à toutes les actions auxquelles tu n'étais plus invité à participer : mettre la table, ranger le désordre, prendre part aux discussions… Tu étais présent mais comme déconnecté ; tu assistais au quotidien de ta famille, mais sans y être impliqué, comme un fantôme. Et bizarrement, cet état n'était pas si douloureux ou si gênant ; il était même plutôt intéressant !

Aujourd'hui, lorsque tu es souffrant, tu commences par réagir en adulte : tu as d'abord tendance à considérer ta maladie comme un handicap qui t'empêche de vivre normalement, qui te prive de quelque chose, qui te rend inefficace. Tu as perdu ces capacités d'acceptation de l'enfance, qui te permettaient d'habiter ces instants d'apathie et de lâcher prise sans les juger négativement. Mais te remémorer tous ces souvenirs t'a fait plaisir, t'a fait sourire. Puis réfléchir. Du coup, tu t'es efforcé d'habiter ces heures alitées avec curiosité et acceptation. Tu as essayé de retrouver la sagesse et la paix de tes apathies fébriles du temps de l'enfance, leur saveur douce et apaisante. Tu as songé à ta difficulté à lâcher prise, à te laisser aller à ne rien faire. Il n'y a que la maladie qui arrive aujourd'hui à t'y contraindre. Tu savais que c'était une erreur, mais à cet instant, tu le sens dans ton corps : tu dois apprendre à lâcher prise même quand tu n'as pas 39 °C de fièvre…

Nous nous épuisons souvent en voulant maîtriser le cours de notre vie. Parfois jusqu'à l'absurde. Sous l'emprise de nos états d'âme anxieux, nous avons souvent l'illusion que le contrôle est une solution efficace, une réponse aux aléas de l'existence, aux incertitudes de l'avenir. Mais le désir de tout placer sous contrôle a pour conséquence un sentiment épuisant de n'avoir jamais fini ce que l'on a à faire. On se condamne à être toujours débordé. Comme me le racontait un patient : « Un jour, j'ai compris que je ne m'en sortirais jamais. Que je ne pourrais plus continuer à faire face à tout. Alors j'ai pris la seule décision possible : ne plus chercher – justement – à faire face à tout ! J'ai décidé que je devais apprendre à vivre au milieu de choses *pas faites*, et à accepter que je ne les ferai jamais. Au début, c'était dur : être assis sur le canapé en écoutant de la musique et voir tous les petits bricolages à faire dans la pièce ou penser par association à tous ceux à faire dans la maison, ou me dire à ce moment que je n'avais pas assez aidé mes enfants à mieux comprendre leurs maths… Tout ça me donnait envie de me relever, de me dire que je n'avais pas le droit d'être assis là tant que tout ça ne serait pas fini. C'est-à-dire jamais… Mais je me suis forcé : je me suis dit que j'avais le droit de me reposer un peu, même si je n'avais pas fini tout ce que j'avais à faire. Je suis donc resté assis de force dans mon canapé à écouter la musique. Peu à peu, je me suis détendu. Et j'ai continué comme ça pour plein de petits détails. Contrairement à mes prédictions d'avant, en lâchant prise de temps en temps, je ne suis devenu ni clochard ni laxiste. Juste un peu plus cool… »

Ah ! les innombrables « missions à accomplir » de la pensée anxieuse ! Lorsque nous sommes anxieux, le monde n'est plus composé que de ces missions à accomplir. Du coup, vivre, tout simplement, devient un souci. Et se reposer ou ne rien faire, un péché. Si nous raisonnons ainsi : « Tu prendras le temps de te reposer, de te faire du bien, de te détendre seulement quand tu auras tout fini », alors nous transformerons notre vie en enfer, ou plutôt en bagne. Nous nous serons réduits nous-mêmes en esclavage.

Pas d'autre solution que d'accepter que le monde nous échappe. À cela, nous devons travailler inlassablement. Cela ne signifie pas qu'il faut se résoudre au chaos : souvent, les anxieux à qui vous faites des suggestions vont prendre vos conseils pour les amener à leur point extrême afin de vous démontrer que non seulement ils ne sont pas applicables mais même dangereux. « Lâcher prise ? Tu veux que je me foute de tout ? Tu veux que je ne m'occupe plus de rien ? D'accord, tu vas voir le résultat… » Non, il ne s'agit pas de passer d'un extrême à l'autre. Nous devons juste chercher un point médian, entre le trop et le trop peu ! Juste comprendre que nous ne sommes pas tout-puissants. Que le désordre et l'incertitude sont inhérents au monde vivant et mobile auquel nous appartenons. Que si on n'apprend pas à les tolérer, on va avoir une existence drôlement fatigante.

Nous avons aussi à accepter qu'il y a plein de choses que nous ne ferons jamais ici-bas. Des petites et des grandes. Depuis les albums photos que nous n'aurons jamais le temps de composer jusqu'aux pays où nous n'irons jamais... Petits deuils de notre toute-puissance, de nos appétits de vie. Triste ? Oui. Mais cette tristesse sera peut-être moins pénible et plus féconde que la tension des chimères (« tout faire ! ») que l'on couve avec énervement. En thérapie, je blague souvent mes patients à ce propos : « J'ai une bonne nouvelle : le monde sans souci dont vous rêvez existe. Et une mauvaise : ça s'appelle le Paradis et ce n'est pas pour tout de suite. En attendant, on va essayer de s'arranger avec ce monde-ci, qui s'appelle la Vie. »

13

Calme et énergie

Tu aimes bien en toi ces instants d'exact équilibre : c'est souvent le matin, au printemps ou en été. Tu t'es levé tôt, tout est tranquille. Tu te sens comme un animal en pleine forme : calme, apaisé, serein. Mais aussi plein d'énergie. D'énergie calme.

Pendant longtemps, il te semblait que l'énergie, c'était l'excitation. Tu te sentais énergique en écoutant de la musique à plein volume, ou en agissant très vite, ou en faisant plein de choses à la fois, ou en buvant du café. Au bout d'un moment, tout cela te transformait en bestiole énervée et hyperkinétique. Tu confondais l'énergie et l'énervement.

Tu faisais d'ailleurs la même erreur en sens inverse : pour toi, le calme, c'était la lenteur, l'inaction. Presque de la mollesse. Un truc de vieux, de dépressifs, de fatigués, de repus.

Aujourd'hui, tu sais que tu peux être à la fois calme et énergique. Comme ce chat que tu regardes dans le jardin : il s'étire puis marche doucement dans les herbes, en ondulant des épaules et des hanches, d'un mouvement tranquille ; détendu *mais prêt à accélérer tout d'un coup. C'est cet état de calme et d'énergie que tu préfères désormais en toi.*

Comment t'en rapprocher ?

Calme et énergie : la formule magique du bien-être.

La notion de calme évoque l'absence de trouble et d'agitation, mais sans que cela implique passivité ou retrait. C'est une présence attentive mais non agitée à notre environnement. Bien que ce soit un état global, le calme peut se décliner dans notre corps (détente mais pas complet relâchement) et dans notre esprit (présence « observante » mais pas endormissement). Jules Renard notait ainsi dans son Journal : « L'idéal du calme est dans un chat assis. » Apaisé mais prêt à bouger…

Quant à l'idée d'énergie, elle suppose de son côté la capacité à agir ou à envisager l'action, le sentiment que celle-ci est possible, et la conviction qu'elle sera concluante ou utile. De même, le sentiment global de disposer d'une énergie intérieure repose sur un versant psychologique (confiance et plaisir à l'idée de l'action) et corporel (facilité à démarrer et maintenir une activité).

Les opposés de ces notions sont pour le calme, la tension, cette difficulté à ressentir la paix dans son esprit et dans son corps. Et pour l'énergie, la fatigue, ce sentiment qu'il n'y a plus de ressources en nous. Tension et fatigue sont des états que chacun de nous connaît régulièrement.

En combinant ces deux dimensions, calme *versus* tension et énergie *versus* fatigue, il est possible d'assez bien décrire les différents états globaux, qu'on pourrait dire « psychosomatiques », que nous éprouvons au cours de nos journées. Chez chacun de nous, ces dimensions se mêlent selon les moments pour aboutir à quatre états de base bien différents : le calme et l'énergie (qui est un optimum, du moins pour l'action) ; le calme sans l'énergie (qui est la fatigue apaisée, par exemple au moment de s'endormir) ; la tension et l'énergie (ce qu'on pourrait appeler le stress ou l'énervement) ; la tension sans l'énergie (être « crevé et stressé », et ne pas arriver à se détendre pour pouvoir se reposer).

Il est possible de développer certaines activités et attitudes pour permettre à cette « formule magique » du bien-être – calme et énergie – de prendre plus de place dans nos journées. Cela passe beaucoup par l'attention prêtée aux besoins de son corps. Notamment : bouger et se détendre. Régulièrement. Nous pouvons négliger ces besoins ; et nous le faisons d'autant plus que cette négligence-là ne sera pas punie rapidement, comme pour l'alimentation ou le sommeil (essayez donc de ne plus dormir ou de ne plus manger...), mais lentement : par une perturbation de nos équilibres émotionnels, et une émergence progressive d'états d'âme douloureux.

Nous allons donc aborder maintenant ces deux dimensions fondamentales de notre équilibre psychologique, et donc de la bonne respiration de nos états d'âme : l'activité physique et la pratique d'activités relaxantes.

14

Mets ton corps de bonne humeur

Tu aimes bien ces mots du poète Christian Bobin : « Tristesse – la fatigue qui entre dans l'âme. Fatigue : la tristesse qui entre dans la chair. » Quand ton corps est fatigué, ta tête se dérègle : tu deviens irritable, pessimiste, tes soucis s'étalent et grossissent, tout t'agace et t'agresse. Tu as beau le savoir, tu te fais régulièrement piéger : et tu mets du temps à réaliser que le problème, souvent, ce ne sont pas tes soucis mais ta fatigue, qui te rend inapte à les solutionner ou à les relativiser. Le remède alors, ou l'un des remèdes du moins, c'est le repos. Ce serait peut-être aussi un peu de prévention. Respecter les besoins de ton corps : lui permettre de bouger, de marcher, de trotter, de s'étirer, de ressentir…

Comme un musicien qui accorde son violon ou sa guitare, qui les bichonne. Ou comme un maître qui sort son chien. L'autre jour, en bavardant avec une amie, tu lui expliquais comment il faudrait que tu arrives à aller marcher tous les jours, te balader une demi-heure, comme ça, pour bouger ton corps et nettoyer ton esprit. Ton amie en riait, et elle te racontait qu'elle était obligée de le faire deux fois par jour : mais pour balader son chien ! Adopter un chien, alors ? Bof... Ce qu'elle faisait pour son chien, tu pouvais bien le faire pour toi. Et être dans l'histoire à la fois le maître et le chien. Voilà, c'est ça : plutôt qu'adopter un chien, devenir un chien toi-même. Chaque jour, cesser de penser, une demi-heure durant, pour aller te promener, renifler, bouger...

On sait évidemment depuis longtemps – *mens sana in corpore sano* – que le bon état du corps facilite le bon fonctionnement de l'esprit. Et de nombreux travaux scientifiques confirment ces intuitions. Il existe une corrélation directe entre le nombre de pas de marche effectués chaque jour et le sentiment d'énergie et de bonne humeur : environ dix minutes de marche rapide suffisent à élever notre bien-être, et l'effet dure environ quatre-vingt-dix minutes.

Chez les personnes souffrant de difficultés psychologiques, on a pu montrer que l'exercice fait autant de bien que les antidépresseurs : à condition de pratiquer quarante-cinq minutes quatre fois par semaine pendant quatre mois. Et le plus intéressant dans ces études, c'est qu'on s'aperçoit que six mois plus tard, les gens ont moins rechuté s'ils ont fait de l'exercice que s'ils ont pris un antidépresseur. Dans le domaine des troubles anxieux, on a également prouvé que six séances de vingt minutes d'exercice, modéré ou intensif, peu importe, amélioraient les tendances à l'inquiétude.

La plupart des sociétés savantes ou des organismes de recherche aboutissent à peu près aux mêmes conclusions. Si on écoute par exemple les recommandations de notre Institut national de la santé et de la recherche médicale (Inserm) : **il est conseillé, pour les adultes de 18 à 65 ans, de pratiquer une activité physique de type aérobie (marcher, trottiner, pédaler...) d'intensité modérée pendant au moins trente minutes, cinq jours par semaine.** Au-delà de 65 ans, mêmes conseils mais à adapter à l'état de forme physique. Et à associer à des exercices destinés à préserver aussi la densité osseuse, la souplesse, et les capacités d'équilibre : exercices de renforcement musculaire (en travaillant contre résistance : soulever des poids, des objets, pousser, tirer, se suspendre...), exercices d'assouplissement (faire bouger doucement son cou, ses épaules, sa taille, ses hanches...), et exercices d'équilibre (marcher sur la pointe des pieds sur une ligne tracée au sol, sauter d'un plot à l'autre sur les parcours santé, ou se tenir sur un seul pied en faisant des étirements lents comme dans le tai-chi). Le tout au moins deux fois par semaine pendant cinq à dix minutes pour chacun de ces trois groupes d'exercices. Enfin, il faut savoir être patient : les effets sur les états d'âme et le moral ne se font sentir pleinement qu'après huit semaines de pratique environ, selon la plupart des études.

Ce n'est donc pas le bout du monde, cet investissement dans notre bien-être ! Pourtant, beaucoup de personnes ne le font tout simplement pas. L'enquête 2005 du Baromètre santé en France montre que seulement 45,7 % des Français âgés de 15 à 74 ans ont pratiqué une activité physique soutenue plus de dix minutes durant la semaine écoulée. C'est pourtant simple et gratuit. Et en accord avec ce que nous sommes biologiquement : depuis des millénaires, nous sommes faits pour courir derrière les antilopes ou devant les lions…

15

Relax !

Quand tu as trop « la pression », tu es capable de tenir bon, de résister : tu courbes l'échine, tu continues d'avancer et tu gardes ton fardeau sur les épaules. Tu peux t'accrocher, ignorer que c'est trop, pendant des jours et des semaines, absorbé par la marée des « choses à faire ». Ton corps, lui, se rebiffe. Il t'envoie des signaux d'alerte, que tu ignores au départ. Comme ça te dérange, comme ça te forcerait à lever le pied, tu fais semblant de ne rien voir, de ne rien entendre, rien ressentir. Le mal de nuque, le ventre noué, la barre sur la poitrine et les envies brutales de soupirer pour mieux respirer : tout cela, tu le ressens, mais tu ne l'écoutes pas. Tu continues. Alors de temps en temps, ça bloque, ça coince : lumbago, colites, torticolis et autres ennuis, comme rhumes, angines, petits boutons. Pas méchants mais logiques.

Tu te dis que tu devrais faire du yoga, du chi-gong ou des choses comme ça. Tu avais essayé, il y a quelque temps. Ça te faisait du bien. Après, cependant, il te semblait que ça passait et que le stress revenait. Bizarre et naïf : tu en attendais un *effet permanent, peut-être ? De toute façon, tu trouvais que ça te prenait trop de temps. Pas de temps pour prendre soin de ton corps ? S'il craque, s'il se casse, tu crois peut-être que tu en as un autre de rechange ?*

Pourquoi la relaxation (et tout ce qui lui ressemble) nous est-elle, comme l'exercice physique, nécessaire ?

La première raison, c'est que chacune de nos confrontations à des situations stressantes se traduit par une mise en tension musculaire discrète, tension qui a souvent tendance à ne pas revenir complètement à la normale, parce que d'autres difficultés ou d'autres tâches stressantes surviennent ensuite, et parce que notre esprit, capable de se souvenir et d'anticiper, va conserver le souci en nous-mêmes à distance de la situation. Penser à un problème, c'est comme l'avoir et le vivre, du moins c'est ce que croit notre corps, qui se tend et se contracte comme si nous étions réellement dans la situation.

Pour limiter cet empilage de tensions, toute méthode de relaxation s'attache à nous faire pratiquer de nombreux petits exercices dits de « minirelaxations », au cours desquels le but n'est pas d'atteindre la détente complète, mais de faire « baisser la pression » et de diminuer un peu la tension musculaire, cumulative tout au long de la journée. En pratique, cela consiste à prêter attention à ses états du corps, afin de percevoir assez tôt l'apparition de crispations musculaires dans les zones sensibles (en général épaules, nuque et pour certaines personnes, mâchoires), pour pouvoir pratiquer de petits exercices de détente musculaire de ces zones. Pour celles et ceux qui ont du mal à déceler ces tensions, le plus simple est de partir du principe qu'elles auront lieu et de prendre une ou deux minutes pour détendre son corps toutes les heures (en respirant bien profondément, en ajustant sa position, en s'étirant si possible, en remuant doucement les muscles de la nuque et des épaules). Cela peut et doit se pratiquer à tous moments et en tous lieux (transports en commun ou feux rouges en voiture, salles d'attente, pauses au travail…).

Une seconde raison rendant nécessaire la relaxation est que nous avons besoin de périodes de détente et de récupération prolongées. Durant les périodes de canicule, les problèmes et la dangerosité ne viennent pas seulement des températures maximales atteintes dans la journée, mais aussi du fait qu'elles ne baissent pas assez pendant la nuit, ne permettant pas aux organismes de récupérer : des journées trop chaudes et des nuits sans fraîcheur représentent le pire mélange. Il en est de même pour le stress de nos journées : il faut pouvoir s'en débarrasser le soir et la nuit, en faisant durablement et nettement baisser notre niveau de tension.

En pratique, il est souhaitable, notamment dans les périodes de tension, de pratiquer des exercices de relaxation assez approfondis et prolongés (environ dix à trente minutes) pour revenir au calme physique et donc faciliter le retour au calme psychologique. Évidemment, ce n'est pas facile, car les périodes où nous avons des soucis sont aussi celles où nous manquons de temps. Se relaxer en fin de journée est alors une nécessité et une activité bien plus importante que de regarder la télé ou de lire pour se distraire.

L'esprit de la relaxation est simple : lorsque le corps commence à « en rajouter » par-dessus les états d'âme, lorsque nos muscles se tendent ou que notre respiration se sent à l'étroit, alors respirer, se relâcher, ramener le corps vers davantage de repos... Non pas pour supprimer la tension, mais pour la desserrer, l'apaiser, afin de pouvoir observer ce qui nous arrive : ressentir ses inquiétudes dans un corps que l'on apaise, c'est les affaiblir. Le refaire, souvent, c'est les priver peu à peu de l'une de leurs sources : si la tension du corps cesse de répondre à celle de l'âme, l'extinction de la crispation sera plus rapide. **La relaxation : pacifier le corps pour apaiser l'esprit.**

16

Sourire

Depuis toujours, tu te méfies un peu des sourires forcés. Tu sais que les sourires sont comme des paroles : on peut mentir avec, on peut faire semblant. Et tu sais aussi qu'ils ont un pouvoir immense. À côté des sourires de démonstration ou de dissimulation (« voyez comme je vais bien ou comme j'ai confiance en moi ! »), il y en a qui apaisent et qui rassurent. Tu aimes bien ces sourires sincères et simples : chez l'inconnu qui t'indique ton chemin alors que tu es perdu ; chez le médecin qui te rassure alors que tu as peur ; chez la personne qui t'accueille alors que tu crains de déranger. Il te semble y voir là des messages de fraternité tranquille : bienvenue, nous sommes de la même famille des humains.

L'autre jour, en voyant tous les visages tristes des voyageurs dans le métro, tu as réalisé d'un petit regard rapide dans la vitre que le tien était triste aussi : sombre, sinistre. Pourtant, il n'y avait pas de souci particulier dans ta vie, à ce moment. Mais ton visage était triste. Tu as extrait de toi un petit sourire discret, comme ça, pour voir. Tu t'es dit que tu pouvais garder ta tête morose pour les jours où ça irait mal. Et que pour les autres jours, les jours normaux, tu allais essayer de sourire doucement. C'est drôle, mais tu as eu l'impression que ça te faisait du bien, ce petit sourire adressé à personne, rien que pour toi. Peut-être que ça fait aussi effet en dedans, de sourire, et pas seulement au-dehors ?

La petite feuille photocopiée que l'on voit dans tant de secrétariats et d'administrations : « Sourire mobilise quinze muscles, mais faire la gueule en sollicite quarante. Reposez-vous : souriez ! » s'appuie sans le savoir sur des bases neuropsychologiques approfondies. C'est un phénomène bien connu des spécialistes des émotions : le *feed-back facial*, qui fait que sourire augmente légèrement les états d'âme positifs.

Les plus amusantes études de ce type consistent à vous faire regarder des dessins humoristiques tout en tenant un crayon soit entre les dents (essayez : vous verrez que cela vous force à une grimace qui ressemble à un sourire) ou entre les lèvres (la grimace devient une mimique triste). Les dessins vus sous sourire, même un peu forcé, sont jugés plus drôles que ceux vus avec les commissures labiales rabaissées. Nous apprécions davantage la vie en souriant qu'en nous renfrognant...

On a aussi pu montrer dans une belle et touchante étude que les personnes veuves depuis peu (environ six mois) qui arrivent à sourire sincèrement en évoquant leur conjoint disparu (en pensant au bonheur malgré tout de l'avoir rencontré) seront souvent celles qui se seront mieux remises deux ans plus tard. Sans doute parce que, malgré la tristesse et l'absence, elles savaient se souvenir des belles choses et des moments heureux partagés. Important : cet effet protecteur de la capacité à sourire malgré la tristesse existe d'autant plus que le sourire est sincère et correspond à des états d'âme authentiques. Car on sait retrouver si des sourires sont vrais ou faux. En effet, le sourire « plaqué » est facile à identifier, sur les enregistrements vidéo, par les chercheurs spécialistes de l'expression des émotions : figé, raide, il ne correspond à rien d'intérieur, rien d'autre que le désir de jouer le jeu des convenances sociales. À l'opposé, le vrai sourire concerne l'ensemble du visage et pas seulement la bouche, et implique notamment des muscles périorbitaux (situés autour des yeux) qu'il est à peu près impossible de contracter volontairement de manière symétrique.

Cette capacité à *sourire de l'âme* dans le courant de la tristesse, c'est de l'intelligence plus que de l'inconscience, contrairement à ce que croient les

grincheux et les pessimistes. Mais il faut évidemment que ce soit un libre choix et que l'habitude vienne d'extraire d'un quotidien tout gris les instants de grâce, quelles que soient nos contraintes et obligations (ne parlons même pas de soucis ou de souffrances).

Smiling in the rain…

17

MATÉRIALISME

Tu ne sais jamais très bien, finalement, si tu aimes vraiment ça ou non : les soldes, les fêtes de fin d'année, acheter. Par moment, ça t'amuse de surfer sur toute cette frivolité et cette légèreté ; cette gaieté aussi. C'est gai de s'acheter de nouveaux vêtements, de beaux objets, d'en profiter, de les offrir. Mais parfois ça te donne le blues, presque la nausée. Ou du moins, une sorte de malaise étrange.

Tu te souviens comme ça d'un grand coup de détresse un samedi après-midi, au moment des soldes. Tu étais là, sur le trottoir, avec tous tes paquets dans les bras, t'apprêtant pourtant à courir vers un nouveau magasin. Et tout à coup, tu es sorti de la situation, sorti des soldes, sorti de tout ce dans quoi tu barbotais sans même y penser. Tu es sorti de tout ça, ou à l'inverse, tu es revenu en toi-même. Tu te sentais alors creux, vide. Tu te posais de drôles de questions : est-ce que j'ai vraiment besoin de tous ces trucs ? Est-ce que ce genre d'activités me rend vraiment heureux ? Est-ce ça dont je veux remplir ma vie ? Est-ce après ça que nos sociétés doivent courir ? Travailler *plus pour acheter plus ? À quoi ou à qui je me soumets en vivant ainsi ?*

Même pas besoin de répondre à ces questions, tu connaissais la réponse. C'était fini, les soldes étaient terminés pour toi. Tu n'es pas allé jusqu'à jeter tes achats au sol, malgré une brève envie de le faire qui t'a traversé la cervelle. Tu les as gardés, mais tu es rentré chez toi, tranquillement, en chantonnant une vieille rengaine de ton adolescence, qui parlait d'amour et d'eau fraîche. Tu étais redevenu toi-même...

Le matérialisme effréné de nos sociétés représente une menace pour notre bien-être psychique. Tout comme il existe des pollutions de l'air, de l'eau, de la nourriture, qui altèrent notre bien-être physique, il existe des pollutions sociales qui perturbent notre vie mentale.

Le matérialisme peut se définir ainsi : 1) la possession, le pouvoir et le statut social y représentent les valeurs les plus importantes ; 2) on valorise l'*avoir* au lieu de l'*être*, le *faire* au lieu du *vivre*, le *montrer* au lieu du *savourer* ; 3) la consommation est présentée comme la solution à nos besoins et nos aspirations.

Toute société repose forcément sur une part de matérialisme (qui comporte aussi certains bénéfices). Et

plus encore nos sociétés contemporaines : d'abord
« sociétés de consommation » depuis les années 1960,
elles sont devenues « sociétés d'hyperconsommation »
depuis les années 1990. Car les sociétés matérialistes ne
se contentent plus de répondre à nos besoins, mais
essaient inlassablement d'en créer de nouveaux. Ainsi,
dans la « réclame » traditionnelle, on recommandait un
produit pour satisfaire un besoin ou régler un problème.
La pub contemporaine cherche la même chose, mais va
également créer des besoins qui n'existent pas ou associer
un produit avec un contexte de vie enviable : calme,
grâce à cette grosse voiture insonorisée ; volupté, grâce
à ce délicieux café ; distinction, grâce à ce splendide
canapé ; etc. Il existe dans nos sociétés des intelligences
et des instances (services marketing et agences de pub)
uniquement destinées à inlassablement augmenter nos
envies de consommer. En se nichant dans nos états
d'âme. On a pu montrer que plus une personne est
triste, plus elle consomme dès lors qu'on oriente sa pensée vers des préoccupations égocentriques. Alors, dans
nos sociétés flattant nos ego et nous offrant une profu-
sion de choses à acheter, le réflexe sera d'autant plus
facile.

La facilité, la rapidité, la dispersion, l'opulence
bloquent en nous les expériences de lenteur et

d'introspection ; elles entravent nos capacités de réflexion sur nous-mêmes et de régulation de nos équilibres intérieurs. C'est alors le grand désarroi : nos états d'âme sont dispersés, déboussolés, superficiels, insatisfaits, dépendants de tous les « distracteurs » marchands de nos environnements. Ce n'est pas une richesse mais une pollution, un envahissement de nos esprits, et pas seulement de nos comportements de consommateurs. Cela ressemble à ce qui se passe pour les plastiques ou les pesticides : ça s'accumule doucement en nous. C'est pourquoi toutes les études convergent : **plus une personne (ou un groupe humain) est mue par des valeurs matérialistes, plus elle est malheureuse.** C'est aussi simple que ça.

Le matérialisme nous arrache à ce qui fait notre identité et notre humanité : l'alarme a été lancée par les poètes il y a longtemps. Mais on n'écoute jamais les poètes. Voici ce qu'écrivait le philosophe américain Thoreau, qui partit vivre deux ans au fond d'une forêt dans une cabane : « Je pense que notre esprit peut être sans cesse profané par le fait d'assister régulièrement à des choses triviales, de sorte que toutes nos pensées seront teintées de vulgarité. » Et aussi : « Une fois que l'homme s'est procuré l'indispensable, il existe une autre alternative que celle de se procurer les superfluités ; et c'est de s'aventurer dans la vie présente. » Nietzsche allait plus loin encore : « Toutes les institutions humaines ne sont-elles pas destinées à empêcher les hommes de sentir leur vie à cause de la dispersion constante de leurs pensées ? » Qu'auraient-ils dit de notre époque ? C'est, comme le note Cioran, « le cauchemar de l'opulence. Accumulation fantastique de tout. Une abondance qui inspire la nausée ».

On peut reconnaître les bons côtés d'une société matérialiste : nos conditions de vie quotidienne (chauffage, électricité, eau courante, salles de bains…) sont plus confortables et agréables que celles de nos ancêtres ; certains déplacements nous sont rendus possibles (pour faire du tourisme, revoir souvent les gens que l'on aime et qui se sont éparpillés loin de nous), etc. Il est d'autre part inutile d'idéaliser le passé : les sociétés d'autrefois avaient aussi leurs défauts, elles pouvaient abrutir d'ennui et de monotonie, étouffer les individus sous les contraintes collectives (famille, voisinage, société). Aujourd'hui, les défauts sont inverses : surstimulation et phobie de l'ennui, survalorisation de la personne au détriment du groupe, et surtout dispersion constante de nos pensées. Il nous faut donc inventer de nouvelles formes de société, au lieu de subir l'actuelle ou d'aspirer à revenir vers l'ancienne. Et pour cela, il faut progresser intérieurement : c'est lorsque

le progrès matériel va plus vite que le progrès psychologique et spirituel que les humains souffrent. Lorsque les
plus gros investissements des sociétés sont ceux qui sont
destinés à produire plus et à faire consommer plus, sans
qu'il y ait en face d'efforts collectifs destinés à accroître
l'équilibre des esprits, tout le monde est en danger
moral.

Nous nous battons pour protéger la vie sauvage, la
faune, la flore... Ne devrions-nous pas faire de même
pour notre vie intérieure ? Elle est, elle aussi, en grand
danger.

18

L'INSTANT PRÉSENT

L'autre jour tu attendais le train sur un quai de gare. Tu l'attendais vraiment : regardant l'heure régulièrement, observant l'horizon et te demandant s'il allait arriver par la droite ou la gauche. Tout en sachant que l'heure prévue du départ n'était que dans dix minutes. Tu te demandais si c'était un train qui venait d'ailleurs (dans ce cas, il arriverait seulement à l'heure prévue) ou s'il partait d'ici (dans ce cas, il serait à quai plus longtemps avant, et tu pourrais y monter).

Bref, tu avais l'esprit complètement encombré de trucs inintéressants. Heureusement, tu t'en es rendu compte (ce n'est pas toujours le cas...). Tout à coup, tu t'es vu en train d'attendre ton train comme un chien attend sa pâtée. Tu n'as rien contre les chiens, ils sont sympas, mais bon, chacun sa vie.

Alors, tu t'es dit que non, c'était vraiment « trop pas intéressant », comme disent les enfants. Et tu as modifié ton état d'esprit : au lieu de « faire » quelque chose (attendre), tu es passé sur le registre « être juste là » et savourer l'instant présent. Tu as laissé tomber la montre et l'horizon du bout des rails. Et tu as tourné ton attention vers ta respiration, la façon dont tu te tenais, tu t'es doucement redressé, tu as ouvert tes épaules ; puis, tu as aussi ouvert tes oreilles, tu as écouté les sons, les rumeurs, les bruits de rails, les cris d'oiseaux ; tu as reniflé, comme un animal sorti des bois, cette étrange odeur de métal et de béton qui flotte dans les gares ; tu as observé la lumière de ce matin de printemps, les mouvements lents d'un train de marchandises tout au bout des quais, les nuages, toutes les installations, les panneaux, les bâtiments au loin. Fantastique, tout ce qu'il y avait à voir et à ressentir.

Fantastique, comme c'était intéressant et apaisant d'être intensément là, présent à ta vie de l'instant. Lorsque tu es monté dans le train, tu étais serein comme jamais. Tu ne l'avais pas attendu une seconde. Tu avais juste vécu ta vie. Trop pur !

Souvent nous passons à côté de notre vie : nous sommes ailleurs, dans l'instant d'après (on attend, on espère, on s'impatiente, on anticipe, on s'inquiète) ou dans l'instant d'avant (on rumine, on regrette, on ressasse). Mais pas dans l'instant présent. Cette inaptitude à vivre le présent plus souvent (même s'il est parfois bon d'anticiper ou de repenser au passé) est considérée aujourd'hui comme un facteur facilitant anxiété, dépression et globalement difficultés avec le bonheur. C'est pourquoi elle est souvent travaillée en psychothérapie, par exemple dans le cadre de la « méditation de pleine conscience ».

La pleine conscience consiste à être présent à l'expérience du moment que nous sommes en train de vivre, sans filtre (on accepte ce qui vient), sans jugement (on ne cherche pas si c'est bien ou mal, désirable ou non), et sans attente (on ne souhaite pas que quelque chose arrive ou se passe). **La pleine conscience est donc une simple présence – *juste être là* –, mais si difficile à atteindre...** Elle n'est pas une forme de passivité et d'acceptation aveugle : elle permet d'habiter le présent, mais avec souplesse, en étant dans la possibilité de se désengager, si on le choisit, et en tout cas, en en étant conscient. Les capacités de pleine conscience sont présentes chez chaque humain. Elles dépendent sans doute d'aptitudes naturelles à la concentration et à l'ouverture, mais elles peuvent aussi s'acquérir ou se développer par l'entraînement.

Les thérapies fondées sur la pleine conscience se présentent comme une série d'exercices simples destinés à nous amener peu à peu à « garder notre esprit ici et maintenant ». On s'assied, on ferme les yeux et on s'aperçoit... que notre esprit part dans tous les sens ! Alors, on ne s'en agace pas, on considère que c'est normal, c'est juste comme ça que l'esprit fait, parce que notre vie lui en a donné l'habitude ; et d'ailleurs, cela nous rend quelquefois service, cet esprit en mouvement, qui cherche partout des choses à faire et à penser, des actions à déclencher. On ne s'agace pas, donc, contre ces vagabondages, qui parfois nous arrangent. Mais là, ils nous dérangent. Alors, on ne s'agace pas, on recommence.

Il existe évidemment une foule de variantes et d'approfondissements de ces exercices : se centrer sur sa respiration, les bruits qui nous entourent, les sensations qui viennent de notre propre corps, observer le mouvement de ses pensées, leurs apparitions et disparitions, là vers où elles voudraient nous conduire. Ne pas les suivre. Revenir à l'exercice : *juste être là*. Et faire tout cela dans une attitude intérieure de curiosité calme et bienveillante : ne pas juger, ne pas chercher à repousser ou à susciter. Simplement tout accepter, tout observer.

Pourquoi ces exercices ont-ils à voir avec la paix de mon âme, avec ma capacité à mieux vivre ? Parce qu'ils vont me permettre de mieux comprendre comment fonctionne mon esprit : en tentant sans cesse de s'échapper (penser à autre chose), de juger (« cet exercice est absurde » ; « en plus il m'énerve, je n'y arrive pas »), en se dispersant (sans arrêt être happé par d'autres pensées). Méditer en pleine conscience va alors me permettre de mieux accepter que c'est normal, c'est juste comme ça que nos esprits font : partir dans tous les sens. Et tranquillement, de moins le faire…

19

VIVRE EN PLEINE CONSCIENCE

Tu es content de toi : ça fait trois semaines que tu tiens tes nouvelles résolutions. Maintenant, le matin, tu te lèves quelques minutes plus tôt, pour te tenir debout, bien droit, tranquille, à respirer face à la fenêtre ouverte de ta salle de bains, qui donne sur un arbre dans une cour et sur un bout de ciel, tantôt bleu tantôt gris. Et le soir, en te couchant, au lieu de te saisir d'un livre ou d'une revue (ou pire, de traîner devant ton poste de télé), tu prends le temps de songer à ta journée : que t'est-il arrivé aujourd'hui ? Qu'as-tu vécu, qu'as-tu ressenti ?

Tu as pris l'habitude de réfléchir, les yeux ouverts, sur ta vie. De lutter contre la tentation d'enchaîner les activités, les pensées, les sollicitations. De te libérer de ces chaînes, au moins de temps en temps. De prendre quelques secondes pour penser à ce que tu viens de faire des heures ou des jours de vie qui viennent de s'écouler. De libérer ton âme et de décaler ton regard. Pour simplement observer l'instant présent, au lieu de le traverser avec les yeux de l'esprit fermés.

*Tu as compris aujourd'hui à quel point les « distracteurs »
de ton quotidien, si tu n'y prends pas garde, peuvent t'écarter
de toi-même : faire du shopping, lire, regarder la télé ou écouter
la musique, tout cela peut représenter une façon de ne pas réfléchir tranquillement et régulièrement à toi. Maintenant, tu
arrives à ne pas systématiquement mettre la radio dans ta voiture ou dans ta cuisine, à ne pas systématiquement prendre une
revue dans les salles d'attente ou te plonger dans un livre dans
les transports en commun. Ou alors, pas tout de suite : tu
prends d'abord le temps, désormais, de lire un peu en toi-même.
Tu essaies de vivre en pleine conscience...*

Il existe de nombreux avantages à la pratique de la
pleine conscience, non pas seulement dans le cadre
d'exercices de méditation, mais comme une attitude
quotidienne face à l'existence.

Par exemple, à passer du mode « faire » au mode
« être ». Ce que nous enseignent petit à petit les efforts
de pleine conscience, c'est l'intérêt de régulièrement
provoquer dans sa vie des moments où l'on s'extrait du
faire pour aller vers l'être. Les thérapeutes praticiens de
la pleine conscience parlent de *doing mode* (*to do*) par rapport au *being mode* (*to be*). Dans le « mode faire », on est
toujours en lutte pour réduire l'écart entre les choses

telles qu'elles sont (par exemple : mon interlocuteur n'est pas d'accord avec moi), et ce qu'elles devraient être selon nous (il devrait penser comme moi). Dans le « mode être », on commence par accepter d'abord ce qui est, et par l'observer avec attention et si possible bienveillance (« il n'est pas d'accord avec moi, OK, je vais d'abord l'écouter et le comprendre avant de vouloir corriger son avis »). De même, on ne cherche pas d'emblée à changer nos pensées, mais d'abord le rapport à nos pensées : dans le mode « faire », lorsqu'un souci se présente à notre esprit, il s'accompagne aussitôt d'une sensation de pression douloureuse parce qu'il est obligatoire de lui trouver une solution. Dans le mode « être », on considère d'abord le souci pour ce qu'il est : une pensée qui apparaît à notre esprit. On se dit qu'on ne va pas chercher tout de suite à le résoudre, mais à écouter vraiment, jusqu'au bout, ce qu'il nous dit, et s'il a raison de nous dire ça. À ressentir ce qu'il nous fait, à tout son impact dans notre corps. À l'examiner tranquillement, lucidement. Bref, à le « dégonfler » un peu. Nous avons besoin, aussi, du mode « faire » : sans lui, nous n'arriverions nulle part. Mais nous ne pouvons pas nous passer du mode « être » : sans lui, nous arriverons tellement fatigués, stressés, abattus qu'on se demandera tout le temps ce qu'on fait dans cette galère...

La pleine conscience peut aussi nous apprendre à ne rien faire, mais bien. « Le véritable bonheur, c'est l'état de conscience sans référence à rien, sans objet, où la conscience jouit de l'immense absence qui la remplit », écrivait Cioran. Ne rien faire : le dernier luxe ? Oui, le luxe suprême de cette époque d'agitation et de pragmatisme. Cette époque passionnante et féconde. Mais que nous ne pourrons savourer pleinement que si nous savons aussi, à certains moments, ne rien faire. Je me souviens d'un jour où, passant devant la chambre d'une de mes filles qui apparemment ne faisait pas ses devoirs, comme je le lui avais demandé, je lui lançai : « Dis donc, mon amie, tu fais quoi ? – Ben, euh, rien… » Et au moment de lui répondre : « Quoi ? Comment ? Et tes devoirs ? », je me souviens de tout ça, et je m'entends lui dire : « Tu ne fais rien ? Excellent ! » Ça l'a fait rire. Il faudra que j'en reparle avec elle dans quelques années : je lui ai peut-être fait vivre une expérience utile…

La pleine conscience aide enfin à savourer l'existence. Non seulement parce qu'elle nous rend davantage capables de ne pas nous noyer dans nos ruminations, que nous identifions plus vite. Mais aussi parce qu'elle nous aide à mieux savourer les bons moments, auxquels elle nous rend plus profondément présents. La vie consciente, c'est la vie normale, tout simplement. Avec une permanence d'ouverture et de sensibilité. Une permanence d'accueil pour le banal et l'exceptionnel. La vie consciente, c'est la vie maintenant. Compliquée, confuse, imparfaite, bancale. **Nous avons parfois tendance à penser que la vie, la *vraie*, la *bonne,* ne commence qu'une fois toutes nos difficultés résolues. Non, elle est déjà là, sous nos problèmes et nos insatisfactions.** Prête à accueillir le bonheur et la grâce.

20

Sagesse

Parfois, tu t'énerves pour rien ; ou pour pas grand-chose. Parfois, tu te décides trop vite et, parfois, tu n'arrives pas à te décider. Parfois, tu te vois faire des bêtises : trop manger, trop boire, trop dépenser, trop parler ; tu ne peux pas te retenir ; ou tu ne veux pas, ou tu ne sais pas. Dans ces instants, ou plutôt ensuite, tu as des regrets. Tu te dis que tu n'as pas fait preuve de sagesse. Que tu aimerais bien être un peu plus sage.

Ça t'a toujours étonné que notre époque célèbre plutôt la folie, notamment par sa voix mercantile, la publicité : « Soyez fous ! », « Offrez-vous une petite folie ! » La folie, c'est facile ! Pas besoin d'apprendre, pas besoin de se contraindre. Du moins dans ton cas. Alors que la sagesse... Ta folie t'a toujours semblé spontanée, mais tes rares moments de sagesse ont toujours relevé d'efforts ; en classe, tu étais sage à la fois par peur de la maîtresse, mais aussi pour lui faire plaisir ; et parce qu'au fond tu te sentais bien quand tu étais sage. Il te semble qu'il y a plus de bonheur dans la sagesse que dans la folie. Les coups de folie excitent, soulagent, apportent de la jouissance. Puis de la *souffrance. La sagesse te semble représenter une meilleure base, un meilleur socle pour ta vie.*

Tu aimes beaucoup la sagesse et un peu la folie : voilà, c'est ça, tu rêves d'être un sage qui se lâche de temps en temps. Tu as lu quelque part cette maxime de La Rochefoucauld : « Qui vit sans folie n'est pas si sage qu'il croit. » C'est vrai. Mais tu aimerais aussi ajouter : « Et qui vit sans sagesse ne savourera pas aussi bien sa folie. » Ça te fait sourire, ces rêves en toi de sagesse et d'équilibre. Mais tu te dis que tu finiras bien par y arriver un jour…

J'aime l'idée de sagesse. Je l'aime naïvement, sans doute comme on peut aimer un concept lorsqu'on n'y connaît rien. Les philosophes d'aujourd'hui mettent volontiers en garde contre l'idée de sagesse, son utilité, l'intérêt de sa recherche, ils soulignent la méfiance qu'il convient d'avoir envers quiconque adopte une posture de sage. « Qui veut faire l'ange fait la bête », disait Pascal. De même, semble suggérer notre époque, qui veut devenir sage n'est qu'un fou, ou un naïf. Finalement, un peu comme avec le bonheur, le terme de sagesse est presque devenu un gros mot, à laisser aux sots, aux incultes, aux balourds, ou aux exploitants de la naïveté humaine.

Pourtant, aux yeux de la plupart d'entre nous, la sagesse est un chemin que l'on voudrait emprunter : on ne veut pas se dire « sage », mais devenir – après pas mal d'efforts puis d'expériences de vie qui permettront de le vérifier – « plus sage », ce qui n'est pas pareil. On voudrait se sentir progresser vers quelque chose de meilleur : ainsi, nos erreurs et nos errances auraient un sens, celui de nous rapprocher du mieux, c'est-à-dire du moins de souffrance.

D'ailleurs, nous sommes contraints d'être prudents avec la sagesse : qui parmi nous oserait se dire pleinement sage ? Qui se sentirait sage pour toujours ? Qui n'aurait pas conscience qu'il ne s'agit que d'un état transitoire ? En revanche, pourquoi renoncer à vouloir l'être davantage ? Mais dans ce cas, comment s'y prendre ?

Chaque humain peut dispenser des paroles ou adopter des conduites de sagesse, à certains moments de son existence. Observer les actes sages ou les sages paroles de l'ensemble de l'humanité, c'est presque aussi bien que de se rallier aveuglément à certains maîtres, supposés sages, mais qui ne le sont pas forcément dans toutes les dimensions et à tous les moments de leur existence. C'est d'ailleurs la voie de recherches de la psychologie positive qui a choisi, pour comprendre la sagesse, plutôt que d'écouter ou de lire les grands discours philosophiques, de l'observer sur le terrain en train de s'exprimer.

Voici, pour mieux incarner cette démarche, deux exemples de réponses données lors d'une étude sur la sagesse, dont l'une est jugée sage et l'autre moins. Les participants à l'étude devaient se prononcer sur le cas suivant : une jeune fille de 15 ans souhaite se marier maintenant. On ne nous en dit pas davantage. Qu'en penser ?

Exemple de réponse jugée peu sage : « Non, se marier à 15 ans, ce n'est pas une bonne idée. Il faut lui dire que ce genre de mariage, ce n'est pas possible. »

Exemple de réponse jugée sage : « En apparence, c'est simple. De manière générale, le mariage à 15 ans, ce n'est pas une bonne idée. Or c'est tout de même quelque chose à quoi songent pas mal de jeunes filles lorsqu'elles tombent amoureuses pour la première fois. Et puis, il y a souvent des situations dans la vie où on ne peut pas raisonner "en général". Peut-être que, dans ce cas, il se passe des choses particulières, peut-être que la jeune fille a une maladie mortelle et n'en a plus pour longtemps. Ou qu'elle vient de perdre ses parents. Ou qu'elle vit dans un autre pays, avec une autre culture. Ou à une autre époque de l'Histoire ? »

On voit que la réponse sage (outre qu'elle est plus longue et plus compliquée) traduit un plus grand recul, et surtout consiste, face aux incertitudes et aux informations manquantes, à tenir compte de nombreuses possibilités avant de prendre position : savoir qui est cette jeune fille, quelle est sa situation précise, où vit-elle, etc.

Au quotidien, la sagesse peut consister par exemple à écouter et comprendre nos interlocuteurs avant de les juger. Évident ? Hum… En pratique, pour beaucoup d'entre nous, écouter l'autre c'est juste préparer ses réponses et ses arguments. La sagesse suppose ainsi un certain degré de transcendance et d'oubli de soi : se dégager de ses intérêts immédiats et de ses opinions, les considérer comme des regards personnels et non comme des évidences universelles.

Observer attentivement les attitudes quotidiennes qui nous semblent sages est donc une bonne source d'enseignement. Une petite fille (6 ans) assiste à la dispute de ses deux sœurs aînées (8 et 10 ans) pour être assises aux bonnes places arrière dans la voiture familiale : celles près des fenêtres, et non celle du milieu. Voyant que le conflit s'éternise et que les parents commencent à s'énerver, elle se *sacrifie* : « Je prends la place du milieu pour démarrer le voyage. » Alors qu'elle aussi préfère les places près du bord. Les motivations de son geste sont multiples et passionnantes. Quelle est dans sa décision la part du renoncement par sensibilité : « je ne supporte pas ces disputes, ça rend tout le monde malheureux » ? La part de l'intelligence : « elles sont en train de mettre les parents de mauvais poil, et quand les parents sont de mauvais poil, les voyages se passent mal » ? Et celle de la sagesse : « après tout, ces histoires de place, c'est absurde, on n'est pas mal au milieu » ? Est-ce que les parents doivent s'inquiéter de voir « la plus petite se sacrifier pour les plus grandes » ? Ou doivent-ils se réjouir pour elle de cette capacité à faire preuve de sagesse ? Car peu après, une fois le conflit calmé, elle négociera en douceur des permutations avec ses sœurs, obtenant de ne pas faire tout le voyage à la « mauvaise » place. Finalement, elle aura fait l'économie émotionnelle d'un conflit, tout en obtenant une solution équitable.

Autre leçon (j'adore recevoir des leçons de sagesse) : il y a quelques années, j'avais été appelé par une agence de communication médicale pour rédiger dans l'urgence un gros travail sur les maladies dépressives. C'était un jeudi, et il s'agissait de le leur remettre le lundi : cela signifiait tout un week-end à travailler, jour et nuit. Évidemment, vu l'urgence et la masse de travail, c'était très bien payé. Après pas mal d'hésitations, je me résolus à dire non : mon week-end était déjà très chargé en événements familiaux et tout annuler me paraissait à la fois douloureux (pour mes proches et moi) et compliqué. Je proposai alors le travail à un ami de Sainte-Anne, en lui disant que l'occasion financière était intéressante. Il m'écouta poliment, puis, une fois qu'il eut connaissance des délais, n'hésita pas une seconde : c'était non. Et il ajouta même dans un sourire : « Moi, je serais même plutôt prêt à payer cette somme pour *ne pas* faire ce boulot dans de telles conditions ! »

Finalement, nous avons pu trouver parmi nos confrères, un jeune célibataire qui avait du temps et de l'énergie, et ne pénalisait personne en pulvérisant son week-end par deux nuits blanches sous caféine. La sagesse de mon premier confrère m'a fait réfléchir long-temps après : sans hésiter, il avait préféré pour le week-end à venir s'enrichir de bonheur, pas d'argent.

21

ÉVEILS

Un jour de septembre, une feuille de platane qui tombe avec une grâce inexorable, dans un tourbillon irrégulier — vingt centimètres à droite, brusque virage et dix centimètres à gauche, un demi-tour plutôt lent, une volte rapide — mais harmonieux. Elle est morte. Tu t'arrêtes pour observer sa chute. Elle passe devant ton nez, frôle ton cœur et tombe juste dans tes deux mains, qui se sont ouvertes toutes seules. Au lieu de la repousser, de la jeter et de passer ton chemin, tu t'arrêtes, tu l'examines, tu respires un peu plus fort. Tu te sens complètement vivant, alors qu'il y a un instant, tu n'étais qu'un automate qui marchait en pensant à sa journée de boulot. Pourquoi es-tu ainsi doucement arraché à tes pensées par une feuille ? Pourquoi es-tu touché et bouleversé ? Pourquoi ce sentiment d'harmonie, cette impression que tout est en place ? Plus tard un ami te dira que tu aurais aussi pu y voir un sale présage, dans cette feuille morte : celui de la mort de ce qui vit, celui de la fragilité périssable de toutes les existences, dont la tienne. Mais non, à cet instant précis, c'est

presque le contraire. La feuille qui tombe te donne un senti-
ment d'éternité de toutes choses.

Ils sont si importants, ces instants où nous sortons
du cadre, où nous quittons, doucement ou brutalement,
les automatismes et habitudes où nous étions engagés. Ils
sont comme des sorties de route, comme on le dit pour
les voitures : nous quittons le chemin de ce qui était
prévu : ce sont les expériences d'éveil. Nous étions
endormis ou assoupis par le ronron du prévisible ou de
l'habituel. En réalité nous étions absents à nous-mêmes
et à la vie. Et nous voilà arrachés à cette rassurante et
prévisible monotonie.

De telles expériences sont plus ou moins communes
dans notre existence. Mais nous risquons de ne pas leur
prêter attention. Elles nécessitent d'avoir laissé de la
place à sa vulnérabilité, de l'espace pour sa réceptivité.
Elles ne surviennent pas si on a tout verrouillé, tout
cadenassé, derrière des possessions, des préoccupations,
des obligations, des actions. Ou pire, si on est tout
empli de ruminations.

En général, les éléments de l'éveil sont les suivants :
un état spécial de réceptivité (pour diverses raisons : fatigue, spleen, sérénité…), un détail qui survient lors d'une

expérience de vie ordinaire, et alors l'impression qu'il se passe quelque chose de spécial et d'indicible, quelque chose qui est à la fois le problème et la solution, la question et la réponse, et même quelque chose au-delà de tout ça. Mais ce quelque chose est d'abord inutilisable tel quel. Parce qu'il n'est pas explicite ; clair mais pas explicite : l'éveil ne nous dit pas que faire, mais qu'il faut – ou qu'il faudra – faire quelque chose. Ou ne rien faire, au contraire. Inutilisable aussi, au début, parce que l'expérience d'éveil n'est pas forcément transposable en mots. Et si c'est une phrase qui fait irruption à notre conscience (certaines expériences d'éveil ressemblent à un cri que « quelque chose » pousse en nous), elle mettra longtemps à être comprise dans toutes ses dimensions. L'expérience d'éveil est un éclair d'intuition. Elle s'accompagne d'une secousse physique parfois, il peut y avoir une participation du corps : on peut se sentir léger, ou lourd, différent de ce que nous étions un instant avant. On ressent presque toujours une modification de l'écoulement du temps : immobilité du temps perçu, comme un ralenti psychologique. Le poète Christian Bobin parle ainsi d'un « état de bouleversement calme ».

À nous de cultiver cette réceptivité, à nous d'être présents à notre existence, au lieu de ruminer le passé ou le futur, de vouloir être ailleurs ou autrement,

pendant que notre vie s'écoule ici et maintenant. Voici ce que nous rappelle Maître Eckhart, mystique médiéval, dans ses *Conseils spirituels* : « Dieu nous rend souvent visite, mais la plupart du temps, nous ne sommes pas chez nous. »

Alors, nous pouvons bien prendre trois minutes, trois fois par jour, pour vérifier où nous sommes, et pour répondre à la question : « Il y a quelqu'un là-dedans ? »

Oui, nous sommes là. Vivants. Présents.

Conscients…

22

Accepter le bonheur
comme une expérience éphémère

Longtemps, tu as cru que tu avais un problème avec le bonheur. Il te semblait que tes bonheurs à toi étaient moins bien que ceux des autres. Moins intenses, moins durables, moins purs (chez toi, il y avait toujours un petit truc qui clochait). Ça t'a longtemps gâché la vie, du coup : même quand tu étais heureux, tu te demandais si tu l'étais vraiment, si c'était ça le bonheur, et ce genre de questions à la noix. Les seuls moments durant lesquels tes bonheurs te semblaient parfaits, c'est quand ils étaient passés. Comme dans ces mots : « Bonheur, je ne t'ai reconnu qu'au bruit que tu fis en partant. » Ils sont de Raymond Radiguet, qui mourut à 20 ans, et écrivit, dans les dernières pages de son chef-d'œuvre, Le Diable au corps : « Un homme désordonné qui va mourir et ne s'en doute pas met soudain de l'ordre autour de lui. Sa vie change. Il classe des papiers. Il se lève tôt, il se couche de bonne heure. Il renonce à ses vices. Son entourage se félicite. Aussi sa mort brutale semble-t-elle d'autant plus injuste. Il allait vivre heureux. »

Toi aussi, tu as eu ce sentiment : après avoir longtemps été le champion des bonheurs rétrospectifs, tu es devenu celui des bonheurs finissants. Jamais un soleil couchant ne te bouleversait autant que lorsqu'il s'agissait de celui du dernier crépuscule de tes vacances. Jamais un baiser ne te paraissait aussi émouvant que celui qui précédait une longue séparation. Jamais ton père ne t'avait semblé aussi touchant que quand tu allais le voir peu avant qu'il ne meure (et en sachant qu'il allait mourir). Bref, toi et le bonheur, ça avait toujours été une drôle d'histoire, un peu boiteuse, un peu ratée.

Et puis, année après année, ça a changé. Tu as compris que le problème ne venait pas du bonheur, mais de tes attentes envers le bonheur : attentes d'intensité, de pureté, d'éternité. Comment en es-tu arrivé à comprendre ça ? Tu n'en as aucune idée. Sans doute est-ce à force d'expériences, de prises de conscience, ou peut-être juste le temps qui a passé. Peut-être est-ce lié à l'âge, mécaniquement. En tout cas, c'est là : tu es aujourd'hui capable de savourer le moindre copeau de bonheur sans te poser trop de questions. Ou plutôt, tu fais ça dans le bon ordre : d'abord tu savoures, après tu réfléchis.

Ce sentiment bizarre que la tristesse n'est parfois qu'une joie usée, un bonheur qui a fait son temps… Si nous nous accrochons trop à eux, nos bonheurs peuvent devenir tristesses. Il faut accepter de passer son chemin, abandonner ce bonheur mort. Accepter qu'il y ait ainsi des tas de cadavres de petits ou grands bonheurs derrière nous. Accepter qu'ils ne survivent que sous forme de souvenirs. Ne pas s'attacher ni s'agripper à eux précisément, à ces instants, mais à l'idée même de bonheur.

L'intensité et la douleur du bonheur résident ainsi dans son caractère éphémère. Notre expérience personnelle est là pour nous le montrer, mais aussi beaucoup de recherches. Lorsqu'on demande par exemple à des volontaires d'imaginer qu'ils se trouvent dans un endroit qu'ils aiment, mais que c'est pour la dernière fois, leurs états d'âme seront certes positifs, mais plus subtils et plus mixés que ceux des volontaires à qui on a juste demandé de s'imaginer dans cet endroit qu'ils aiment, sans autre consigne. La richesse et la subtilité de nos expériences émotionnelles avec le bonheur viennent, davantage que de grands bonheurs pleins, francs (et un peu « bêtes », animaux, logiques), de l'existence de ces états d'âme liés à la conscience de la finitude de nos bonheurs, de leur caractère mortel et périssable. C'est cette conscience du caractère intermittent du bonheur qui permet aussi l'extension de l'expérience de l'instant à des horizons temporels élargis, voire infinis : **c'est pourquoi un seul instant de bonheur peut nous donner un goût d'éternité.**

D'autres travaux montrent que, de façon générale, plus on a conscience que le temps nous est compté, même banalement, sans dramatisation, comme lors d'une expérience de laboratoire que l'on nous demande d'effectuer en temps limité, plus on recherche et on préfère les activités ayant du sens. Bonne voie de recyclage de nos inquiétudes existentielles (celle à laquelle nous incitons nos patients, d'ailleurs) : plus je m'angoisse, plus j'ai intérêt à me tourner vers ce qui compte vraiment dans ma vie, pour agir, m'en rapprocher, le savourer dans l'instant. Par exemple, m'arrêter, sentir que je respire, que je suis vivant, lever la tête ou sortir regarder le ciel. Me souvenir que si j'étais mort (ou quand je le serai) je n'aurai plus aucun souci mais aussi plus aucun lien avec ça. Je préfère quoi ?

Tout cela est évidemment lié à la conscience accrue du temps qui passe et ne repassera pas forcément. Au fur et à mesure que l'on avance en âge (mais pour certains le phénomène existe depuis toujours), on a davantage conscience que certains bonheurs ne se reproduiront plus. Par exemple avec des parents qui vieillissent ou des enfants qui grandissent, ou lors des dernières années de lycée ou d'université, avec des camarades que l'on va bientôt quitter. Cette conscience peut nous pousser vers l'anxiété – si nous n'acceptons pas l'évidence – ou la sagesse – si nous l'acceptons avec intelligence, c'est-à-dire en nous tournant vers le présent et sa saveur, plutôt que vers les incertitudes du futur (que notre inquiétude nous fait transformer en certitudes négatives).

Il y a aussi dans notre vie de nombreuses dernières fois dont nous n'avons pas conscience : dernière fois que nous voyons un ami, un lieu, que nous entendons une musique. Cette inconscience est heureuse, et nous allège considérablement. Si nous avancions dans l'existence avec l'obsession de nous poser la question : « Est-ce la dernière fois que je viens de faire, vivre, voir cela ? », nous aurions du mal. Mais à partir d'un certain âge, l'évidence de ces dernières fois devient énorme : on ne peut plus les ignorer. Une de mes patientes me parlait ainsi de son émotion à vivre sa dernière grossesse, à choyer son dernier enfant resté à la maison. Une autre me parlait de son dernier grand amour de femme jeune, « avant la ménopause », car pour elle « ce seraient ensuite des amours de vieille dame ».

Ainsi, en avançant en âge, nous commençons à vivre des rencontres, des voyages ou des événements dont nous savons parfaitement qu'ils seront les derniers. Que souhaitons-nous en faire ? Des occasions de malheur ou de bonheur ?

23

Vivre heureux, mourir

C'est un jour d'été, un jour de douceur, un jour de soleil sans chaleur écrasante. Le quartier est très calme, nous sommes en semaine, en début d'après-midi.

Tu marches au milieu de la rue, doucement réjoui et ravi de la paix que tu respires tout autour de toi et qui gagne toutes les cellules de ton corps. Te voici devant les grilles d'un jardin ; tu aperçois par-derrière une maison, dont les volets sont mi-clos. Le jardin semble en déshérence, mais il n'est pas abandonné. Massifs de fleurs, arrosoir, outils…

Tu t'arrêtes, un instant arraché à ta légèreté. Tu t'approches des grilles. Une pensée étrange, comme une certitude, vient d'arriver à ton esprit : quelqu'un est en train de mourir derrière ces volets. Tu entrevois en un éclair l'image d'une vieille personne alitée, qui termine son existence dans le silence et le secret, derrière ces volets, alors que tout autour la vie explose et la joie se répand. Tu restes là à respirer, à écouter. Tout à coup, ton cœur se met à cogner. Tu ne sais pas très bien ce que tu vas faire : aller sonner à la porte, partir en courant, te mettre à pleurer ? Tu te sens complètement hors du monde, de ce monde simple, lumineux et rassurant dans lequel tu te trouvais il y a encore quelques minutes.

Tu restes avec ce trouble, il te semble que tu ne dois rien faire pour le modifier, il te semble qu'il te murmure des choses très importantes.

Il te murmure qu'autrefois, lorsque de telles pensées t'arrivaient sur la souffrance et la mort alors que tu étais heureux, elles te dérangeaient, elles te semblaient incompatibles avec ton bonheur. Alors tu faisais tout pour les chasser. C'était plutôt facile, à l'époque, car elles n'étaient que des concepts. Loin de toi. Mais aujourd'hui, ce sont des réalités qui se rapprochent doucement. Lorsque tu penses à la mort aujourd'hui, tu en perçois l'écho dans ton corps. Tu es désormais plus âgé, donc plus sensible, notamment à cela.

Il te murmure aussi, ce trouble en toi, de ne pas vouloir le chasser, de t'ouvrir à tout ce que tu ressens à ce moment, de recueillir cet instant et de le porter en ton sein. Comme le corps d'un petit animal mort. Ou le souvenir de son corps. Et de sa mort. Sinon, tu ne pourras plus être heureux. Juste aveugle.

Ton cœur s'est arrêté de cogner. Tu es toujours là, debout devant les grilles du jardin. Tu respires mieux. Tu te sens plus fragile et plus intelligent. Lesté, pour au moins quelque temps, d'une sagesse douloureuse et apaisante. Il te semble avoir fait

trois pas au pays des morts, et être maintenant revenu dans celui
des vivants, où le soleil brille et où l'air est doux.

Juste heureux d'être en vie.

Gratitude.

Paix.

Tu peux repartir maintenant.

Le bonheur humain est lié à un mouvement double et indissociable de notre conscience.

La première face de ce mouvement est tournée vers le bien-être : le bonheur est un acte de conscience, la conscience de sentir que l'on est vivant, et que ce que l'on vit à cet instant est agréable. La seconde face est tournée vers la mort : nous sommes des *morituri*, des *qui-vont-mourir*, et surtout nous sommes conscients de l'être, mortels. La même capacité de conscience qui nous aide à transcender le bien-être en bonheur, nous ouvre en même temps les yeux sur la dimension fugace de ce bonheur, et de notre vie tout entière. Bonheur et terreur sont possibles dans le même mouvement. Le bonheur est à la fois notre antidote à la crainte obsédante de la mort, car il offre des bouffées d'immortalité, des bouffées de temps suspendu, arrêté, absent même. Mais il est aussi un puissant et déstabilisant message de fugacité : le bonheur finit toujours par disparaître et les humains par mourir.

Le bonheur est donc un sentiment « tragique ». Au sens où le tragique est associé à ces moments où l'on prend conscience d'un destin ou d'une fatalité qui pèsent sur nous. Le tragique c'est l'acceptation et l'intégration de l'adversité de la condition humaine : la souffrance, la mort. Et le bonheur est la réponse à cette interrogation tragique : comment vivre avec ça ?

Le philosophe André Comte-Sponville écrit que « le tragique, c'est tout ce qui résiste à la réconciliation, aux bons sentiments, à l'optimisme béat ou bêlant ». Ouille ! Puis : « C'est la vie telle qu'elle est, sans justification, sans providence, sans pardon. » D'accord, d'accord… Et enfin, il précise : « C'est le sentiment que le réel est à prendre ou à laisser, joint à la volonté joyeuse de le prendre. » Ouf, on respire. Il ajoute ailleurs : « Quant à ceux qui prétendent que le bonheur n'existe pas, cela prouve qu'ils n'ont jamais été vraiment malheureux. Ceux qui ont connu le malheur savent bien, par différence, que le bonheur aussi existe. »

Nous avons un terrible besoin de bonheur. C'est Paul Claudel qui a le mieux expliqué pourquoi, le jour où il a écrit : « Le bonheur n'est pas le but mais le moyen de la vie. » Autrement dit, nous ne vivons pas *pour* être heureux (ou pas seulement), mais nous vivons *parce que* nous pouvons l'être, au moins de temps en temps. **Sans le bonheur, la vie serait insupportable, avec son cortège de souffrances et de déceptions, et son inexorable issue finale.** Oui, la vie est tragique, le monde est tragique. Mais nous préférons sourire quand même et avancer, lucides, que rester figés dans un rictus, incapables de nous réjouir. Peut-être d'ailleurs que le bonheur n'est pas tragique mais simplement *lesté* de tragique, et ce lest lui donne toute sa valeur, sa saveur, et nous rappelle son impérieuse nécessité.

Un autre philosophe, Clément Rosset, nous rappelle ceci : « Tout l'acquiescement au réel est dans ce mélange de lucidité et de joie, qui est le sentiment tragique [...] seul dispensateur du réel, et seul dispensateur de la force capable de l'assumer, qui est la joie. » Aspirer durablement au bonheur, à un bonheur qui n'impose pas le retrait du monde dans une citadelle dorée, qui n'impose pas l'abrutissement de nos états d'âme dans l'alcool, les drogues, les jeux vidéo, ou le travail acharné, cela nécessite d'accepter le monde tel qu'il est : tragique. Le bonheur n'est pas une bulle spéculative, dans laquelle on se replierait, basée sur le pari d'un univers qui serait fait pour le bonheur. L'intelligence de nos états d'âme nous aide à comprendre cela :

il ne peut exister d'intériorité climatisée, mais seulement une intériorité vivante, où les états d'âme de souffrance mettent en valeur la nécessité des états d'âme de bonheur.

24

Savourer les moments heureux

Tu n'aimes pas trop les « professeurs de bonheur », ceux qui affichent leurs capacités au bien-être, qui en rajoutent, qui sont toujours prêts à donner des leçons qu'on ne leur a pas demandées ; tu aimerais bien interroger leurs conjoints et leurs proches pour vérifier s'ils font ce qu'ils disent. Mais tu écoutes toujours attentivement ceux qui parlent doucement du bonheur, et de leurs efforts ou de leurs nostalgies face à lui. Évidemment que ça t'intéresse ! Quel humain n'est pas intéressé par le bonheur ? L'autre jour au bureau, après le coup de téléphone d'une amie, lorsque tu as eu raccroché, tu n'es pas retourné tout de suite à ton travail. Alors que tu étais en retard. Mais tu as pris quelques instants, une ou deux minutes, pour savourer simplement ce que tu ressentais : cet échange plein d'affection et de gentillesse avait été un moment doux et agréable. Alors, tu t'es donné un peu de temps pour en prendre conscience, le laisser entrer en toi, le laisser infuser dans ton esprit. Lorsqu'on est agacé, ou contrarié, ou vexé, on rumine ; on rumine ses inquiétudes, on rumine ses déceptions ; mais on ne rumine pas ses *petits bonheurs. Comment s'étonner ensuite de se sentir stressé ou abattu, si on ne leur fait pas un peu plus de place dans notre conscience ?*

La plupart des études sur le sentiment d'avoir une vie heureuse montrent que ce sentiment est lié à une fréquence et une répétition de petits états d'âme agréables, à des bouffées de « petits bonheurs », plutôt qu'à de grands mouvements émotionnels, de forts moments de joie. C'est le tissu de nos instants de bonne humeur qui compose la trame de notre bonheur : moment passé avec un proche, balade dans un bel endroit, lecture stimulante, musique qui nous touche… Si nous prenons conscience de tous ces instants, au lieu de les traverser avec l'esprit ailleurs, nous transformons et transcendons notre bien-être en bonheur.

Il y a de nombreux états d'âme liés au bonheur : allégresse, légèreté, confiance, force, harmonie, plénitude, paix intérieure, sérénité ; sentiments d'appartenance, de fraternité, et tous les états d'âme liés aux liens sociaux. Le bonheur ressemble ainsi à un tableau impressionniste : tous ces états d'âme positifs en composent les touches minuscules, mais il y a aussi, nous le verrons, des touches plus sombres d'états d'âme négatifs, qui font que le résultat final n'est pas rose bonbon. Il n'est même *jamais* rose bonbon, du moins dans la vraie vie. Les poètes romantiques sont là pour nous le rappeler, comme Chateaubriand : « Les danses s'établissent sur la poussière des morts, et les tombeaux poussent sous les pas de la joie. » Toujours la proximité du bonheur et du tragique : il ne peut y avoir, durablement, de bonheur inconscient ou insouciant. Et toujours de l'ombre, un peu d'ombre, venant avec toute lumière.

D'où les limites à ne voir le bonheur que comme une accumulation et répétition des plaisirs. Nous devons aussi le voir comme le résultat d'une vie pleine de sens. Ces deux voies se complètent et se renforcent, et plus encore sont nécessaires l'une à l'autre. Le bonheur repose sur des instants heureux, mais n'est pas que cela : il est aussi l'intégration de ces instants heureux dans une vision de son existence au service d'un sens donné. Cependant, à moins d'être exceptionnel, il faut, pour bâtir une vie pleine de sens, de l'énergie, de la persévérance, de la confiance. Et d'où peuvent nous venir cet élan et cette constance, sinon du plaisir d'exister, de ces états d'âme positifs ?

C'est ce que la science démontre aujourd'hui : **les états d'âme du bonheur facilitent le sentiment de cohérence personnelle, et aident à percevoir le sens**

de sa vie, sa signification globale, au-delà des obstacles du chemin. Grâce à eux, on est capable de voir la forêt dans son ensemble plus que les arbres isolément. Et on est aussi capable d'entendre la forêt qui pousse, et pas seulement l'arbre qui tombe.

25

Bonheurs subtils

Tu vieillis. Depuis que tu es tout petit, tu vieillis. Long-temps, tu n'y as pas songé. Puis tu as commencé à y penser, mais mal : avec douleur, tristesse, inquiétude. Alors, tu fuyais la question du vieillissement. Et la question restait là, comme une sale petite poussière cachée sous le tapis de tes autres pensées et de tes activités. Mais maintenant, c'est bon ; enfin, il te semble. Tu acceptes que tu vas vieillir, tu acceptes que tu vas mourir. Et au lieu de t'attrister, ça te donne de la force et de l'intelligence. Ça te donne le goût du bonheur. Tu te souviens de cette phrase de Pierre Desproges : « Vivons heureux en atten-dant la mort. » Et de cette autre de Paul Claudel : « Le bon-heur n'est pas le but mais le moyen de la vie. » Nous ne vivons pas seulement pour être heureux, mais parce que nous pouvons l'être, parfois, souvent. Sinon, sans le bonheur, cette vie ne vau-drait pas tellement la peine ; ou ne serait pas si intéressante. Et tu as aussi compris autre chose : que tu devais te résoudre, comme tous les humains, à être un intermittent du bonheur. Il vient, il part, il revient, il repart. Après son départ, tu peux l'attendre, *l'espérer, gémir et regretter. Ou continuer de vivre, en allant là où tu sais qu'il passe souvent. Cela ne t'attriste plus, ces intermittences du bonheur dans ta vie. Tu es devenu plus « intelligent du bonheur » : tu as appris à travailler aux conditions de sa venue, sans t'arrêter pour l'attendre, mais en continuant de vivre.*

On peut décider de *travailler* à son bonheur. C'est ce que Spinoza appelle « rechercher la joie par décret de la raison ». Et contrairement à ce que beaucoup de personnes pensent ou affirment, bien des changements sont toujours possibles en matière d'aptitude au bonheur. Même nos efforts pour nous en rapprocher nous font du bien. C'est sans doute pour cela que Jules Renard disait : « Le bonheur, c'est de le chercher. »

Quels sont ces efforts ? Quels sont les trucs ? En réalité, nous savons déjà tout ce qu'il faut savoir. **La plupart des personnes *savent* parfaitement ce qui est important pour leur bonheur, au moins intuitivement ; mais elles ne le *font* pas.** Lorsqu'elles sont forcées d'y réfléchir, le plus souvent à cause d'un drame dans leur vie (une maladie sérieuse ou le décès d'un proche), elles ne « découvrent » pas ce qui fait le bonheur, mais elles prennent simplement conscience qu'elles auraient dû s'en occuper plus tôt. La construction du bonheur ne passe pas par des découvertes (de ce qu'on ignorait) mais des prises de conscience (de l'importance de faire vraiment ce que l'on savait déjà). Un petit exemple : dans une étude sur de jeunes mères, on s'était aperçu que le temps passé avec leurs enfants n'était pas, d'après les recueils émotionnels en temps réel, très riche en états d'âme positifs. Pour la simple raison qu'elles n'étaient pas avec leurs enfants « dans leur tête », parce qu'elles essayaient de faire d'autres choses en même temps (ménage, courses, coups de téléphone…) et que leurs rejetons les gênaient alors. D'où ce paradoxe : le temps passé avec leurs enfants en arrivait à être pénible, saturé en états d'âme négatifs. Alors que nos enfants sont notre bien le plus précieux, nous les percevons souvent, dans l'instant, comme des complicateurs ou des stresseurs, parce que lorsque nous sommes avec eux, nous voudrions aussi pouvoir faire d'autres choses.

Les pratiques du bonheur sont ainsi, le plus souvent, une histoire de bon sens. Ce qui ne veut pas dire que le bonheur est simple et monolithique. Ni obligatoire. Lorsqu'on dit que l'on préfère le bonheur et que l'on a envie de le rencontrer plus souvent, certains interlocuteurs se sentent menacés, comme si on allait leur retirer leur *droit au malheur*. Nous avons évidemment le droit d'être malheureux. C'est même plus qu'un droit, c'est un destin : le malheur et l'adversité font pleinement partie de l'existence, et ne manqueront pas de s'inviter dans notre vie. Et d'ailleurs, être malheureux, au-delà d'être un *droit*, n'est-ce pas aussi un *besoin* ? Les états d'âme négatifs nous sont-ils nécessaires ?

De fait, il existe au moins une raison pour ne pas réprimer ou interdire les états d'âme négatifs : ils mettent les états d'âme positifs en valeur. D'ailleurs, on a montré (et chacun de nous le ressent bien) que plus le niveau moyen de bien-être est important, moins les événements positifs contribuent à ce bien-être. C'est ce que j'appelle l'effet « démocratie et douche chaude ». Lorsqu'on vit en démocratie, le fait de voter nous remplit de moins de joie que si c'est le premier vote au sortir d'une dictature. Lorsqu'on est habitué à bénéficier d'une douche chaude tous les matins, elle ne nous fait pas chanter de joie, sauf lorsque nous sortons d'une longue panne de chaudière. Quand nous vivons dans le bien-être, ce qui fait notre bonheur devient *banal*, le positif devient *normal*. Il faut alors soit réactiver notre lucidité, et éprouver le bonheur de l'intérieur par un effort de conscience (« bénis chaque jour tes chances ! »), soit recevoir une petite dose de malheur pour se recalibrer (à condition là encore d'en faire l'effort). Le bonheur – ce n'est pas poétique – obéit sur ce plan aux mêmes lois que l'argent : plus on en a, moins en avoir *davantage* nous rend heureux. Alors que quand on en a peu (parce qu'on est pauvre ou qu'on est un enfant), quelques dizaines d'euros de plus nous réjouiront beaucoup. Mais inutile de s'appauvrir en bonheur, et de se rendre malheureux : mieux vaut faire un effort de prise de conscience. Mieux vaut travailler à un « recalibrage par l'adversité » comme à une hygiène du bonheur. Nous pouvons ainsi, lorsque nous allons bien, avoir intérêt à revenir parfois sur nos expériences négatives passées. Non pour les ruminer à nouveau, non pour les minimiser, mais pour les accepter, les relativiser, les examiner profondément, et les relire à la lumière de notre joie actuelle. Puis revenir doucement au bonheur présent. Ombres et lumières.

Certains sont plus doués que d'autres pour cette aptitude au bonheur, comme ce veinard de Montesquieu : « Je m'éveille le matin avec une joie secrète ; je vois la lumière avec une sorte de ravissement. Tout le reste du jour je suis content. » Personnellement, ça ne m'arrive pas souvent de m'éveiller le matin avec une joie secrète. Ce n'est pas grave, j'aime bien y travailler quand même, obstinément. Je m'obstinais, depuis des années, lorsque je suis un jour tombé, je ne sais où, sur cette formule, qui m'a ravi : « l'obstination à être heureux ».

C'est ça, c'est exactement ça…

Et ça marche.

Souvent.

Conclusion

Cela s'appelle l'aurore…

À la fin de sa plus belle pièce, *Électre* (une histoire antique tragique, pleine de fureurs et de meurtres), le dramaturge Jean Giraudoux place ce dialogue dans les bouches de quelques-uns des personnages survivants à toutes les violences qui ont ponctué l'histoire :

« *Électre : Où nous en sommes ?*
— La femme Narsès : Oui, explique ! Je ne saisis jamais bien vite. Je sens évidemment qu'il se passe quelque chose, mais je me rends mal compte. Comment cela s'appelle-t-il, quand le jour se lève, comme aujourd'hui, et que tout est gâché, que tout est saccagé, et que l'air pourtant se respire, et qu'on a tout perdu, que la ville brûle, que les innocents s'entre-tuent, mais que les coupables agonisent, dans un coin du jour qui se lève ?
— Électre : Demande au mendiant. Il le sait.
— Le mendiant : Cela a un très beau nom, femme Narsès. Cela s'appelle l'aurore. »

Le retour du calme après la tourmente. L'aurore, dans ta tête. Respire, respire encore. Voilà, tu y es : sérénité.

Sérénité.

Cela ne répare rien de ce qui a eu lieu ? Non, bien sûr. Mais il n'y a rien à réparer, rien à effacer, rien à recommencer, juste tout à construire, comme chaque matin.

Cela ne va pas durer longtemps ? Non, bien sûr. Mais ce n'est pas grave. Il y aura des absences, puis des retrouvailles. Des éclipses, puis des éclats. Et cela continuera ainsi, toute ta vie.

Et puis ?

Et puis tu ne sais pas. Alors, tu reviens vers l'aurore. Tu respires et tu respires encore...

Postface

« Nos états d'âme sont une porte vers l'éveil »

Les pages qui suivent sont la retranscription d'un entretien de Patrice Van Eersel avec Christophe André, publié au printemps 2009 dans le magazine Nouvelles Clés *(qui nous a aimablement autorisés à le reproduire ici). Elles sont une bonne introduction à mon travail sur les états d'âme et la sérénité.*

Nouvelles Clés : Le titre de votre nouveau livre laisse d'abord songeur. Les « états d'âme », qu'est-ce ? On croit connaître. On se dit que vous allez nous parler du spleen romantique, ou du blues adolescent. Et puis on s'aperçoit vite que votre idée est beaucoup large, quand vous nous racontez, en préambule, l'impression fugace, mais profonde, qu'a eue sur vous une petite scène du matin, avec cette enfant qui trébuche dans la rue, alors que son père l'accompagne à l'école. Rien de grave, mais pendant une seconde, vous avez perçu toute la frayeur de la petite, dans son regard. Et ce « rien du tout », ensuite, ne vous lâche pas de la journée et place celle-ci dans une atmosphère particulière…

CHRISTOPHE ANDRÉ : Le spleen et le blues font assurément partie des états d'âme, mais il n'y a pas qu'eux. J'appelle états d'âme tous nos contenus de conscience qui mêlent des émotions et des pensées d'« arrière-plan », des sensations, des impressions, des feelings discrets, légers, en demi-teinte, qui n'ont l'air de rien, et qui pourtant nous influencent profondément. En réalité, ils fondent notre humanité et notre lien au monde. Le paradoxe, c'est qu'on ne leur accorde que très peu d'importance et je me suis aperçu qu'il n'existait sur eux quasiment pas de synthèses scientifiques. Et pas seulement parce que le mot « âme » est encore tabou. La psychologie contemporaine s'intéresse, à juste titre, aux émotions. C'est-à-dire aux *grandes* émotions, franches et entières. La colère. La tristesse. La joie… Quand une grande émotion nous habite, nous lui appartenons en entier, il n'y a momentanément place pour rien d'autre. Mais ça ne dure généralement pas. Les états d'âme, eux, sont en quelque sorte des sous-émotions qui durent par contre des heures, des jours, des semaines !

Pour chaque grande émotion, il existe toute une famille d'états d'âme. Ce n'est pas la grande colère, mais le petit agacement, le vague énervement, la légère crispation, la moue de bouderie… Pas la grande peur, mais le petit sentiment d'intranquillité, de souci, d'agitation, d'inquiétude… Pas la tristesse abyssale, mais le soupçon de cafard, le petit coup de blues, le nuage de mélancolie. Et, de l'autre côté, ce n'est pas non plus le franc enthousiasme ni la joie éclatante, mais l'imperceptible euphorie, le sourire intérieur, la douce légèreté… Vues du dehors, ces sous-émotions peuvent sembler de peu de poids, voire dérisoires – et nous pourrions nous sentir gênés d'avoir à les exprimer. Vécues du dedans, elles sont incroyablement importantes.

En réalité, l'essentiel de notre vie intime est fait d'un tissage d'états d'âme. Prenez une journée type de votre vie, il y a finalement peu de moments où vous vous trouvez sous l'emprise d'une émotion forte. Alors que les petits sentiments et les petites turbulences vous touchent en permanence. Vous vous levez, votre humeur peut dépendre d'un rayon de soleil, de quelques notes de musique, d'une remarque minime de votre conjoint. Vous marchez dans la rue, vous voyez un mendiant, ses yeux, ses mains, ou un graffiti sur un mur, ou telle saynète de rien du tout, à peine entraperçue, tel échange de mots ou de regards, pendant une fraction de seconde, entre des inconnus que vous ne reverrez jamais… Vous continuez à marcher, mais l'air de rien, en vous, quelque chose est venu subrepticement se planter, qui va vous accompagner longtemps. Qui va peut-être donner sa couleur au reste de toute votre journée.

Ces « rien du tout » qui colorent nos journées

N. C. : N'est-ce pas ce qu'en anglais, on appelle le *mood* ?

C. A. : Oui, mais ça va plus loin. Le *mood*, c'est l'émotion sans mot, qui fait que vous êtes de bonne ou de mauvaise humeur. L'état d'âme y ajoute un contenu verbal, une combinaison de sensations physiques, de micropensées, de souvenirs, de rêveries. Le champion du monde toutes catégories des états d'âme, c'est évidemment Marcel Proust. Or que vit-il ? Il ne se trouve pas simplement dans un certain *mood*. En marchant sur les pavés inégaux d'une ruelle, une légère impression physique de décalage entre ses deux pieds lui fait revenir en mémoire les rues de Venise, et tout un univers en demi-teinte va alors doucement émerger en lui. Un univers qu'un homme comme Proust cultive avec délicatesse et délectation, mais nous y sommes tous sujets.

Les états d'âme ne se contrôlent pas facilement : ils s'imposent à nous avec une douce insistance. Leurs sources sont multiples, à la fois physiques, biographiques, relationnelles, mentales… Certains états d'âme nous rivent au sol, d'autres nous connectent à des dimensions que l'on pourrait dire spirituelles. Leur enracinement dans le corps compte beaucoup. Des études ont montré que, si vous interrogez différentes personnes sur ce qui les préoccupe dans la vie, vous n'obtenez pas les mêmes phrases, selon qu'elles vous répondent avant ou après une marche de vingt minutes dans la nature. *Après*, la plupart des gens voient les choses de façon nettement plus positive. Mais l'influence « spirituelle » n'est pas moindre : un visage, une phrase, la vue d'un coin de ciel, un chant d'oiseau, le vol d'une feuille morte prise dans un tourbillon, peuvent vous faire changer d'état d'âme. Avec ce bref instant d'incertitude : allez-vous accueillir et héberger cet instant en vous, ou pas ? Ne seriez-vous pas en train de partir dans un léger délire, hors réalité, et ne faut-il pas oublier tout ça très vite (ce que nous faisons sans arrêt) ? Ou ne serait-ce pas, au contraire, la « vraie vie » qui vous fait signe, par cette petite lucarne, alors que le reste de votre journée se déroule dans l'insignifiance ? Les états d'âme sont donc une espèce de carrefour, une chambre d'écho, à l'interface entre le dehors et le dedans, entre le corps et l'esprit, entre hier et demain, entre nos pulsions et notre culture, entre nous et les autres. Nos états d'âme sont peut-être tout simplement la plus importante et la plus décisive des nourritures de notre conscience.

Une fois installé, l'état d'âme ne nous lâche plus

N. C. : Sans être manichéen, votre livre classe les états d'âme en deux grandes catégories : ceux qui nous font souffrir et ceux qui nous font du bien.

C. A. : Absolument. Au départ, en dehors de mon amour pour Rilke, Proust, Pessoa ou Cioran (les maîtres de la question sur le plan littéraire), c'est tout de même mon métier de thérapeute qui m'a poussé vers ce sujet. À l'hôpital Sainte-Anne, je m'occupe beaucoup des personnes souffrant de « troubles émotionnels », notamment les dépressifs et les anxieux, que leur maladie n'empêche pas de vivre, comme le ferait la schizophrénie, mais qui sont malgré tout quotidiennement très handicapés. Au fil des années, je me suis orienté vers la « prévention des rechutes ». Après un épisode dépressif ou anxieux sévère, on réussit à ramener la personne dans un état, sinon parfait, du moins assez confortable pour qu'elle puisse reprendre le cours de son existence. Mais elle demeure fragile, vulnérable, souffrant d'une sorte d'inaptitude au bonheur et de manque d'estime de soi – des thèmes que j'ai abordés dans mes livres précédents. Comment faire pour l'aider à se maintenir à flot ?

C'est alors que je me suis aperçu qu'il existait beaucoup de données montrant que la plupart de ces personnes régulaient mal ce que j'appelle leurs états d'âme. Selon les heures, les jours, les saisons, elles sont sujettes à des ruminations, à des coups de cafard, à des bouffées de nostalgie… Ce n'est pas de la franche dépression, ni de l'anxiété massive, ça reste léger. On est agacé, énervé, dégoûté, désabusé, on se laisse envahir par le ressentiment. Et ça s'installe, ça dure, pendant des semaines ou des mois… préparant en fait le terrain à une nouvelle rechute. D'où l'intérêt de trouver comment éviter ça, en apprenant à gérer nos états d'âme. Et c'est ainsi que la méditation a fait son entrée dans un hôpital comme Sainte-Anne…

Mais avant d'en venir aux actions à entreprendre, et particulièrement à la méditation, je voudrais insister sur cette caractéristique de l'état d'âme, qui est de s'installer et de durer. Si un automobiliste vous fait une queue-de-poisson sur la route, une brusque bouffée de colère peut vous envahir, prenant toute la place pendant un moment, mais certainement pas pendant toute la journée. Alors que l'état d'âme persiste. Quelqu'un nous a dit une petite phrase qui nous a blessé ; il aura beau s'être excusé, la petite phrase reste. Elle peut nous tourmenter longtemps, tournant en ritournelle : « Et si c'était vrai ? Et si j'étais vraiment comme ça ? Et si c'était un signe qu'en fait, il (ou elle) ne m'aime plus ? » Un rien peut mobiliser en nous de longues ruminations. Le problème, c'est que ces ruminations sont souvent très subtiles – puisqu'elles se nourrissent de phénomènes eux-mêmes subtils : rêveries, sensations, impressions, souvenirs –, beaucoup plus que les grandes émotions, qui ont un côté plus « brut de fonderie ». Les grandes émotions nous uniformisent : en proie à une immense frayeur, nous faisons tous la même tête et adoptons tous le même comportement, alors qu'une simple inquiétude nous laisse toute une gamme de réactions possibles. Ce raffinement fait aussi que beaucoup d'états d'âme négatifs nous sont chers. Nous pouvons parfois les rechercher. Victor Hugo définissait la mélancolie comme le « bonheur d'être triste »... Cette ambivalence peut être une richesse, quand nos états d'âme mêlent en nous des sentiments contradictoires, comme dans un « sucré-salé » émotionnel et mental. Mais l'attachement aux états d'âme douloureux peut être aussi purement névrotique : par exemple quand nous ne connaissons rien d'autre que le ressentiment, ou le mépris, parce que nous avons grandi dans une famille qui en était imbibée, et que, du coup, c'est dans cette atmosphère que nous nous sentons sécurisé, « chez nous » – alors que la sollicitude et la gratitude, elles, nous paraissent suspectes et nous mettent mal à l'aise. Il y a un faux confort de la négativité, qu'il convient de débusquer.

Les humains sont plutôt contents de vivre

N. C. : Passons donc à l'action. Supposons que de tels états d'âme névrotiques soient mon atmosphère intérieure habituelle, que puis-je faire ?

C. A. : Tout d'abord commencer par les repérer en vous. Reconnaître vos états intérieurs, les comprendre, accepter leurs fluctuations… jusqu'à une certaine limite. Et ne pas vous laisser piéger, notamment par les mots. Car nos états d'âme sont en moyenne plutôt positifs, alors que, curieusement, le vocabulaire que nous employons pour les décrire est majoritairement négatif. Ce paradoxe se retrouve dans la plupart des langues, où les études sémantiques ont montré que les adjectifs destinés à la description des états intérieurs étaient aux deux tiers, voire aux trois quarts négatifs : ils décrivent des ennuis, des tracas, des insatisfactions, des vexations, etc. Alors que, quand on suit une population de près, comme peuvent le faire certaines études de « prélèvements émotionnels » sur une longue période, on s'aperçoit qu'à l'exception des 10 à 20 % de personnes souffrant de véritables troubles psychologiques, l'immense majorité d'entre nous passe la plus grande partie de ses journées dans des états d'âme légèrement positifs.

N. C. : Comment parvient-on à mesurer cela ?

C. A. : Ce sont des études lourdes. On équipe des centaines de personnes de petits beepers, qu'elles portent dans leur poche ou leur sac, et qui font « bip-bip » de façon aléatoire plusieurs fois dans la journée. Quand ça sonne, vous devez évaluer la nature de votre état d'âme de l'instant en cliquant sur une échelle, qui va de « très euphorique » à « totalement cafardeux ». Et le résultat, confirmé d'ailleurs par les sondages sur le bonheur, qui montrent que 80 % des personnes se sentent plutôt globalement heureuses, est sans appel : les humains sont, en moyenne, plutôt contents de vivre. Cela paraît d'ailleurs logique : sinon, je pense que l'humanité se serait suicidée depuis longtemps ! Vous me direz que c'est peut-être ce qu'elle a finalement décidé de faire aujourd'hui, de manière indirecte, en sabotant la planète... Mais les chiffres sont là : les humains sont globalement heureux de vivre, du moins ceux qui ne traversent pas de drames personnels ou collectifs, ceux qui ont droit à une vie « normale ». Même s'il faut évidemment, comme d'habitude, moduler ce genre de généralisation suivant différents critères, par exemple en fonction de la culture. Vous avez des nations qui cultivent volontiers la plainte et son esthétique en demi-teintes. Prenez le *saudade* portugais. Ou le *blues* afro-américain ! Comment ne pas reconnaître la beauté de ces plaintes-là ? Du coup, je dois avouer que, à un moment donné de ma recherche, je me suis retrouvé complètement perdu. Les états d'âme constituent un monde infiniment complexe, qui semble partir dans tous les sens !

Le credo trompeur des anxieux

N. C. : Les états d'âme sont aussi anciens que l'être humain ?

C. A. : Si vous prenez un peu de recul, vous vous rendrez vite compte qu'il s'agit de dimensions qui n'ont émergé que très récemment dans l'Histoire. De même qu'il y a eu des hommes préhistoriques, avant les civilisations, de même ont existé, et existent encore, des hommes *prépsychologiques*, pour qui tout ce que nous disons ici ne correspond à rien. Du moins à rien de conscient. Il ne faut pas remonter loin. Je parle tout bonnement de mon père et de beaucoup de nos contemporains d'avant les années 1960-1970, dont l'existence était exclusivement tournée vers la survie matérielle. Pour ceux-là, hommes et femmes, se préoccuper de ses états d'âme aurait été considéré comme une marque à la fois de faiblesse et d'égoïsme. Cette résistance à toute forme de ressenti intérieur pouvait sans doute, à certains moments, leur donner plus de force – dans la logique du « marche ou crève ». Mais avec beaucoup de souffrances. Ce sont par exemple des gens qui mouraient souvent peu après avoir pris leur retraite – quand ils en avaient une –, soudain assaillis par des états intérieurs dépressifs qu'ils ne comprenaient absolument pas. L'homme *prépsychologique* vivait dans une logique sacrificielle opaque et muette.

D'une façon un peu analogue, la personne anxieuse développe tout un « credo d'intranquillité », dont elle s'imagine qu'il la prémunit contre les multiples menaces dont l'avenir lui semble chargé. Pour l'anxieux, ne pas s'inquiéter serait une faute grave. Il faut se préoccuper d'une multitude de dangers en permanence, ne jamais « bêtement » se réjouir, ne jamais baisser la garde, etc. Or les anxieux et les pessimistes aux états d'âme sombres font-ils mieux face aux problèmes, quand ceux-ci leur tombent dessus pour de bon ? Pas du tout, au contraire ! Partant de l'idée que « si je ne meurs pas du cancer, un autobus m'écrasera sûrement », le négativiste et l'à-quoi-boniste sont, malgré leur inquiétude, incapables de mettre en place une pratique de santé préventive (alimentation saine, exercices physiques, etc.). Et ils tombent les premiers.

En un mot comme en mille, nous ne réalisons pas encore à quel point l'irruption de la psychologie, à partir des années 1960-1970, a enrichi l'existence de millions de gens, individuellement et collectivement. Car connaître et pacifier vos états intérieurs ne conduit pas seulement à un soulagement de vos souffrances et à un épanouissement de votre bonheur : c'est bon pour le monde entier. Plus je souffre, plus je me rétracte sur moi-même. On est bien plus capable de s'intéresser à ce qu'il y a autour de soi si l'on ne souffre pas trop. Mieux : cultiver ses états d'âme positifs est un phénomène contagieux. Au sens propre : une étude américaine l'a magistralement démontré. Menée par le Pr James H. Fowler (de l'Université de Californie, à San Diego) et le Pr Nicholas A. Christakis (du département de la Santé publique, à l'école médicale de l'Université Harvard), et publiée au milieu des années 2000, cette étude a porté sur une population de 4 739 personnes, individuellement suivies de 1983 à 2003, avec évaluation régulière des états de bien-être de chaque personne et de son entourage. La démonstration est stupéfiante : le bonheur se répand comme une épidémie – c'est d'ailleurs vrai aussi des comportements négatifs, comme la violence ou le surpoids. Le phénomène est manifeste sur trois degrés : si je suis plus heureux, j'augmente le bonheur de mes amis puis, de manière décroissante, celui des amis de mes amis, et celui des amis des amis de mes amis. Ensuite, ça se dilue complètement. Ce rayonnement très étonnant démolit la thèse selon laquelle s'occuper de soi et son mieux-être serait égoïste – même s'il existe évidemment des façons plus ou moins altruistes d'être heureux.

Il ne s'agit pas non plus de prétendre que l'on va supprimer tous ses états d'âme négatifs. Ce serait d'ailleurs dommage : ils nous apprennent beaucoup de choses, nous rendent lucides sur nos limites et sur ce qu'il faudrait travailler en nous. À l'inverse, nous ne pourrions pas vivre sans états d'âme positifs : ils représentent une nourriture intérieure vitale, pour nous-mêmes et pour les autres.

N. C. : Permettez-moi de revenir sur cette notion d'homme « prépsychologique ». Comment pourrions-nous réellement savoir ce qui se passait dans l'esprit de nos ancêtres ? Un humain des Lumières, ou de la Chine antique, ou même un chaman paléolithique ne pouvait-il pas connaître ses états d'âme ?

C. A. : Si, bien sûr. L'introspection est aussi vieille que l'humanité : devenir humain, c'est accéder à la conscience de soi, cette « conscience réflexive » qui nous permet de nous prendre nous-mêmes comme objet de réflexion. On retrouve cela par exemple dans le très vieux mythe mésopotamien de Gilgamesh, avec le personnage d'Enkidu, qui cesse d'être un animal et devient un homme par la prise de conscience de ses émois intimes. Mais ce que j'appelle les « hommes prépsychologiques », ce sont tous les humains qui n'avaient ni le loisir ni le goût de descendre en eux-mêmes ; alors qu'ils en avaient bien sûr les capacités émotionnelles et intellectuelles. Cependant, pas besoin de remonter à la préhistoire ! Nous sommes toujours entourés de personnes qui feront tout pour ne surtout pas regarder en elles-mêmes : parler, s'agiter, regarder la télé, rigoler entre copains, bricoler, faire du sport, faire, faire, faire, mais ne surtout pas s'« introspecter ».

La méditation, un entraînement de l'esprit

N. C. : Venons-en donc à la pratique : une fois convaincu qu'il me faut me préoccuper de mes états d'âme, comment réguler en moi ces univers intérieurs fluctuants ? Toute la fin de votre livre y est consacrée. Le mot méditation résume-t-il bien l'ensemble ?

C. A. : Si l'on définit le mot méditation comme un entraînement de l'esprit (ce qui est d'ailleurs sa signification en sanscrit), c'est tout à fait ça. Voilà plusieurs années déjà que nous pratiquons avec nos patients de l'hôpital Sainte-Anne des exercices de méditation de « pleine conscience ». Il n'y a là aucune dimension religieuse ou philosophique, nous leur apprenons simplement à amener leur conscience ici et maintenant. Comment ? En passant « derrière la cascade », comme dit une belle image de la tradition zen. C'est-à-dire en les habituant peu à peu à regarder déferler en eux le flot de leurs pensées, de leurs émotions, de leurs états d'âme de toutes sortes, avec ces quelques centimètres de recul qui vont faire qu'ils ne vont pas les prendre sur la tête, tel le randonneur qui s'est glissé entre la roche et la chute d'eau. C'est à la fois très simple et, évidemment, très compliqué au début. Nous nous identifions totalement à nos états d'âme, alors comment nous différencier d'eux ? Les techniques de base sont fondées principalement sur la respiration et sur l'attention accordée à chaque détail. Accomplir chaque geste, ressentir chaque état d'âme de la façon la plus consciente possible. Être présent. Les anxieux, les inquiets, mais aussi les excités, les survoltés, ne sont pas présents. Ils sont enlisés dans le passé, furètent dans l'avenir ou sont obsédés par l'action. Il y a de véritables maladies de l'anticipation ou de la rumination, qui interdisent le bonheur...

Alors on ferme les yeux, on essaie de se concentrer sur son souffle, on écoute les bruits qui nous entourent, sans s'y accrocher, et on regarde passer ses pensées et ses ressentis. Ce n'est pas la même chose, d'être triste et de se regarder en train d'avoir des pensées tristes. Il y a un petit décalage qui fait toute la différence, en nous permettant de percevoir jusqu'où notre tristesse est légitime, jusqu'où il est bon de la suivre, et à partir d'où il faut la lâcher.

En psychothérapie, ces exercices ont de multiples vertus. Ce sont d'excellents outils contre la rumination. Ils vous reconnectent à la réalité de la vie. Quand vous pratiquez la méditation régulièrement, vous devenez capable, marchant dans la rue, de brusquement vous arrêter et de vous nourrir de la beauté d'un lieu. De croiser un regard. D'entendre une musique. De redresser votre corps. Vous étiez là, en train de ruminer, ou d'anticiper, perdu dans un ailleurs, sans voir ni sentir le monde autour de vous. Et tout d'un coup, vous vous réveillez.

De réjouissantes leçons de sagesse

N. C. : Votre livre sur les états d'âme est dédié à Matthieu Ricard…

C. A. : C'est un homme qui incarne pour moi énormément de choses. Je lui dois beaucoup. D'abord par son exemplarité. Ensuite, parce qu'il m'a aidé à découvrir la philosophie bouddhiste. Quant à l'apprentissage de la méditation psychothérapeutique, je le dois à des confrères nord-américains, tels que Jon Kabat-Zinn, grand visionnaire et grand pédagogue, ou Zindel Segal, enseignant en psychiatrie de l'Université de Toronto. Ils font partie, avec Francisco Varela, des pionniers qui ont introduit la méditation dans les cercles scientifiques, dans les années 1980 et 1990. En Europe, les psychologues Lucio Bizzini, en Suisse, et Pierre Philippot, en Belgique, ont aussi joué un rôle important. Quand nous avons commencé à parler de ces histoires de méditation dans les institutions psychiatriques françaises, on nous a regardés avec perplexité. Nous étions soit des doux dingues, soit une secte ! Et puis les études et les preuves sont arrivées. À Sainte-Anne et dans beaucoup d'hôpitaux, la méditation de pleine conscience fait désormais partie des outils couramment utilisés, en psychiatrie ou en médecine.

Je médite moi-même régulièrement. Quand je me lève, j'essaie d'y consacrer dix à vingt minutes. Ensuite, il est recommandé de vivre en pleine conscience tout au long de la journée, et pour cela, à certains moments, de ne faire qu'une chose à la fois. Quand on mange, ne pas parler, ne pas écouter la radio, ne pas lire, juste bien sentir le goût de ce qu'on mange, de ce qu'on boit. Quand on est en train de marcher, ne pas téléphoner en même temps, juste se centrer sur l'action en cours : que fait mon corps quand il marche ? Comment respirent mes poumons ? Comment je tiens ma tête ? Quels sont les bruits autour de moi ? Le soir, quand vous vous mettez au lit, de temps en temps, ne pas prendre la pile des revues ou votre passionnant bouquin : juste ne rien faire. Se sentir vivant. Sentir son corps qui respire avant la nuit. Au début, quand j'ai commencé à pratiquer ces exercices, le soir, ma femme s'est demandé si j'étais tombé malade, ou si je devenais doucement fou, à rester comme ça, immobile, souriant, à regarder le plafond au lieu de me plonger dans la lecture !

À nos patients, nous apprenons que cet état de « présence » les ouvre à eux-mêmes, aux autres et au monde. C'est une condition *sine qua non* de toute existence véritable (à l'opposé des vies de zombies que nous menons si nous nous contentons d'être des travailleurs-consommateurs). Penser que ces leçons de sagesse multimillénaires, venues d'Orient comme d'Occident, puissent nous servir efficacement dans notre vie moderne, et jusque dans nos hôpitaux psychiatriques, est quelque chose de très réjouissant.

N. C. : Comment se comporte le « grand sage » vis-à-vis de ses propres états d'âme ? D'ailleurs en a-t-il encore, ou les a-t-il balayés ?

C. A. : J'espère que vous ne parlez pas de moi ! À mes yeux, le sage, ou l'être éveillé est extrêmement sensible, mais conscient de l'être. Je pense qu'il connaît une infinité d'états d'âme, qu'il les accueille en toute conscience, mais ne les laisse pas forcément prendre les commandes de ses jugements et de ses choix. Il sait garder ses distances vis-à-vis d'eux, mais aussi les utiliser pour élargir sa vision et agrandir sa compassion. Quand on travaille la méditation en pleine conscience, on apprend que, si l'on est capable d'éprouver de la tristesse pour le sort des autres, cela élargit notre ouverture au monde. Il y a donc un juste milieu à trouver entre se laisser totalement emporter par sa subjectivité et la nier.

Quant à la sagesse, elle se trouve partout. Les chercheurs du nouveau courant de la « psychologie positive » font à ce sujet des travaux très intéressants. Par exemple, ils demandent à un panel d'hommes et de femmes de réagir à une phrase comme : « C'est une jeune fille de 16 ans qui veut se marier. Qu'en pensez-vous ? » Vous n'avez pas idée de la variété des réponses ! Beaucoup réagissent négativement : « 16 ans, quelle horreur ! Je pense que cette pauvre gamine a dû être maltraitée », ou bien : « Cela doit se passer dans une culture terriblement sous-développée. » Mais vous avez aussi des réponses comme : « Elle doit avoir de bonnes raisons », ou : « Ses parents sont peut-être morts et elle a trouvé quelqu'un pour la sécuriser », ou même : « Elle va peut-être mourir et veut se marier avant, car cela a du sens pour elle et son amoureux » – qui sont autant de réponses que l'on pourrait qualifier de sages. Nous vivons un temps où nous sommes peut-être plus méfiants envers d'éventuels « grands sages », mais où nous devrions alors être plus attentifs aux nombreux petits comportements de sagesse qui nous entourent au quotidien, chez les anciens comme chez les plus jeunes. Personnellement, beaucoup de leçons de sagesse m'ont été données par mes patients, mes amis, mes enfants, des inconnus que j'ai observés à leur insu…

La spriritualité, c'est accepter et aimer ce qui nous dépasse

N. C. : Récuseriez-vous le terme de spiritualité ?

C. A. : Il me va tout à fait. Je peux l'entendre à deux niveaux. Personnellement ou en tant que médecin. Comme psychiatre et psychothérapeute, il est possible aujourd'hui de parler de spiritualité, très prudemment, à un niveau purement scientifique. Nous savons que nos patients qui cherchent à pousser leur vie au-delà du matérialisme, se portent globalement mieux que ceux pour qui celui-ci représente un horizon infranchissable. J'y consacre tout un chapitre de mon dernier livre : les sociétés purement matérialistes comme la nôtre ont un côté psychotoxique qui fait des ravages. De ce point de vue, le contrepoids d'une quête « spirituelle » représente un grand soulagement. Bien sûr, comme nous sommes dans le monde du soin, on ne parle pas de religion…

N. C. : … mais plutôt de « spiritualité laïque » ?

C. A. : Certainement oui… En fait, il n'est pas facile de définir ce qu'on entend au juste par « spiritualité ».

Disons que, aussi bien à titre personnel que profession-
nel, c'est une notion qui sous-entend un lâcher prise,
une humilité, l'acceptation d'un vrai mystère quant à
notre nature humaine et à celle de l'univers. Un mystère, et non seulement une énigme qui peut être résolue.
J'ai du mal à en dire davantage sur la définition théo-
rique, je ne suis ni philosophe ni théologien. En
revanche, j'observe, dans ma vie quotidienne et dans ma
pratique clinique, des exemples concrets de comportements qui me semblent bien « spirituels ». La recherche
d'une communication non violente. Le besoin de comprendre ce que ressent l'autre. Et aussi une aptitude à
être présent et à laisser ses états d'âme cheminer en soi.
Si je croise un enterrement, vais-je prendre un instant
pour me dire : « Quelqu'un vient de partir. Un jour ce
sera mon tour. Si cela m'arrivait aujourd'hui, aurais-je
achevé mes tâches ? » Est-ce que je sais me laisser envahir
par une interrogation sur le mystère des choses essentielles ? Suis-je capable de contempler, de prendre le
temps de m'arrêter devant un brin d'herbe, un arbre, un
oiseau qui sautille… Pas simplement parce que c'est un
beau spectacle, mais aussi en pensant que d'autres
humains ont contemplé la même chose il y a dix mille
ans, et en espérant que d'autres pourront encore le faire
dans dix mille ans. Et moi, que sera devenue ma pous-

sière d'ici là ? Accepter de regarder ce qui me dépasse infiniment, sans en avoir peur, mais sans chercher non plus à le maîtriser, cela s'apprend. Bien sûr, on peut aussi passionnément chercher à en savoir plus et croire dans la science, cela n'est absolument pas contradictoire. Certes, l'idée de la mort est *a priori* très déstabilisante, mais surtout pour celui qui n'y pense jamais, pour celui qui n'a justement aucune spiritualité ! Se sentir profondément calme face à ce qu'on ne comprendra jamais contribue à notre bien-être au sens le plus large.

N. C. : Je voudrais terminer sur deux citations que vous faites dans votre livre. La première est de Jean Anouilh : « On dit toujours : entrez en vous-même, entrez en vous-même ! J'ai essayé. Il n'y avait personne. Alors j'ai eu peur, et je suis ressorti vite fait ! » La seconde est de Maître Eckhart : « Dieu nous rend souvent visite, mais la plupart du temps, nous ne sommes pas chez nous. » En somme, vous nous conseillez de faire le cheminement de l'une à l'autre...

C. A. : Anouilh décrit effectivement une réalité très générale : la difficulté à nous poser et à réfléchir sur nous. Eckhart nous transmet une leçon essentielle, que nous tentons de transmettre à notre tour à nos patients quand nous leur apprenons à méditer. Bien sûr, ça nous concerne tous. Dieu qui vient nous visiter ? Mais c'est cet ami qui nous parle et que nous n'écoutons pas, parce que nous pensons à autre chose. Ou c'est notre enfant, à qui nous racontons une histoire, le soir, mais sans être vraiment présent, parce que nous avons des soucis. La pleine conscience, c'est la capacité de se dire : « Je suis en train de raconter une histoire à mon enfant. C'est un moment infiniment précieux. » Ou bien : « Mon ami se confie à moi. Je l'écoute et tente de l'aider au mieux. C'est génial, d'être vivants, l'un en face de l'autre. » Dans ces moments, et pour qui veut bien s'y ouvrir, un souffle passe, le souffle de quelque chose qui nous dépasse. Et notre vie culmine dans ces simples instants.

TABLE

Cet ouvrage a été transcodé et mis en pages
chez Nord Compo (Villeneuve-d'Ascq)
N° d'impression : 1703.0116
N° d'édition : 7381-3865-X
Dépôt légal : mai 2017

Imprimé en France